ROY LICHTENSTEIN

Centre
Pompidou

Identifié avec Andy Warhol comme l'un des représentants essentiels du mouvement pop américain, Roy Lichtenstein est un artiste majeur du XXᵉ siècle. Lorsqu'on évoque son nom, ce sont ses agrandissements de bandes dessinées qui viennent tout de suite à l'esprit, des images d'une prégnance si redoutable qu'elles ont fini par faire littéralement « écran » au reste de son travail. Il est temps donc de se pencher sur son œuvre afin d'en mesurer la diversité. On ne connaît souvent de Lichtenstein que sa peinture. Or, dès les années 1950, avant même qu'il ne devienne le célèbre artiste pop, il commence un corpus d'estampes qui va accompagner son travail, reprenant en écho les thèmes de ses tableaux sans jamais les reproduire ; de même, il élabore un ensemble de sculptures à partir du milieu des années 1940, directement inspiré de son travail pictural. L'imagerie bien connue des bandes dessinées, apparue en 1961, disparaîtra en 1966, alors que, depuis quelques années déjà, il élargit sensiblement ses motifs, notamment par ses références à l'histoire de l'art.

Il s'agit ici d'effectuer rapidement ce parcours de redécouverte qui nous emmène « au-delà du pop », dans un voyage à la fois technique et stylistique. Technique avec des focus consacrés à la sculpture, la gravure et les différentes inventions matérielles et gestuelles qui ont permis à l'artiste de mettre au point l'efficacité visuelle de ses motifs. Stylistique, car, outre la bande dessinée et autres objets de consommation populaires, l'art de Lichtenstein se tourne très vite vers l'art lui-même, dans une démarche réflexive et critique qui en fait un des premiers artistes postmodernes. Il se concentre aussi sur des motifs récurrents envisagés comme autant de métaphores du regard (voir la série des *Mirrors* [Miroirs]), ou des métaphores de la peinture (voir la série des *Brushstrokes* [Coups de pinceau]). Puis, à la fois dans ses grands *Artist's Studios* [Ateliers d'artiste], où son propre travail est reproduit aux côtés de celui des maîtres modernes qu'il admire, et dans la dernière décennie de son œuvre avec des nus et des paysages chinois, il renoue avec les grands genres de la peinture. Force est de reconnaître qu'au-delà du pop et du postmoderne, Lichtenstein est véritablement un artiste classique.

Camille Morineau
Commissaire de l'exposition

A quintessential figure of the American Pop Art movement alongside Andy Warhol, Roy Lichtenstein is recognised today as one of the major artists of the twentieth century. His name immediately conjures up his signature enlargements of comic strips, which carry such a potent and effective visual impact that they tend to "screen" the rest of his work. It is therefore time to take a new slant on his output in the light of its astonishing diversity. To many, Lichtenstein is invariably associated with painting. In the 1950s, however, long before he acquired his persona as a celebrated Pop artist, he began producing a body of printed work to accompany these paintings, echoing their themes without ever actually reproducing them; in the mid-1940s, he also launched a corpus of sculptures directly inspired by his pictorial work. The familiar imagery of comic strips, which first emerged in 1961, had disappeared by 1966, and for several years he had been significantly broadening the scope of his motifs, notably through references to the history of art.

In short, this is a voyage of rediscovery that reaches beyond the Pop years, opening up a new technical and stylistic panorama. Technical in its focus on sculpture, engraving and the host of material and gestural inventions that enabled the artist to hone the visual cogency of his motifs. Stylistic in the way Lichtenstein's art spread rapidly beyond comic strips and other popular consumer goods to encompass the very notion of art, in a critically reflective approach that was to make him one of the first post-modern artists. In his series *Mirrors*, he concentrated on recurring motifs, turning them into metaphors of observation; and in his series *Brushstrokes* they became metaphors for painting. In the large *Artist's Studio* paintings, in which his own work is reproduced alongside those of the modern masters he most admired, and during the final decade, marked by nudes and *Landscapes in the Chinese Style*, he was harking back to the major genres of painting. Beyond Pop and post-modernism, Roy Lichtenstein was incontrovertibly a classical artist in his own right.

Camille Morineau
Curator of the exhibition

Roy Lichtenstein avec
— with *Image Duplicator*
(1963)

ca. **1963**
Photo : John Loengard

LA PÉRIODE POP : L'ÉMERGENCE D'UN STYLE

En peignant en 1961 *Look Mickey* [Regarde, Mickey], qui met en scène Mickey Mouse et Donald Duck, Roy Lichtenstein amorce un tournant radical dans sa carrière. Il peint depuis plus d'une décennie et enseigne successivement dans différentes écoles. Son travail a déjà fait l'objet d'expositions personnelles dans des galeries new-yorkaises, mais son nouveau style inspiré des bandes dessinées et de la publicité, qu'il élabore au début des années 1960, est en rupture totale avec sa manière antérieure et naïve du début des années 1950, sous l'influence de Paul Klee, de Joan Miró et du cubisme, puis de l'expressionnisme abstrait à partir de 1957. En 1960, Lichtenstein devient professeur assistant au Douglass College, à l'université Rutgers dans l'État de New York, où il fait la connaissance d'Allan Kaprow et d'un certain nombre de protagonistes de la scène Fluxus, ainsi que de Claes Oldenburg et George Segal qui deviendront avec lui les représentants du pop art américain. Grâce à Kaprow, il rencontre le marchand d'art Leo Castelli, qui organise en 1962 la première exposition personnelle de ses peintures imitant des sources imprimées dans sa galerie new-yorkaise. Il montre ses œuvres à Paris dès 1963, à la Galerie Sonnabend.

Lichtenstein collecte alors des images publicitaires de produits de consommation qu'il agrandit, recadre et recompose sur la toile. En noir et blanc ou dans des couleurs primaires franches, il applique la peinture en aplats uniformes pour les tons purs et en pointillés pour les demi-teintes. Ce maillage de pois, véritable signature visuelle, imite et amplifie la trame de points ben-day, utilisée par l'impression à grand tirage, qui apparaît dans ses images sources. Des personnages masculins et féminins stéréotypés, trouvés dans des réclames ou des bandes dessinées relatant des histoires de guerre ou d'amour, sont également mis en scène, exagérant chacun des clichés de l'époque associés aux genres. Les critiques, féroces ou enthousiastes, sont divisées. D'aucuns l'accusent de plagiat et d'anti-art, tandis que d'autres voient dans la manière froide, plane et dépersonnalisée de sa peinture, qualifiée d'« industrielle », une approche radicalement nouvelle de ce médium et une critique habile de la société de consommation. Le magazine *Life* se demande en 1964 : « Is he the worst artist in the U.S. ? » [Est-il le plus mauvais artiste des États-Unis ?], tout en soulignant l'engouement du public, des collectionneurs, des commissaires d'exposition et des critiques, qui finira rapidement par dominer.

THE POP PERIOD: THE EMERGENCE OF A STYLE

Look Mickey, depicting Mickey Mouse and Donald Duck, which Roy Lichtenstein painted in 1961, marked a radical turning point in his career. He had been painting for over a decade and had also held a succession of teaching posts in various schools. His work had been shown in solo exhibitions in New York art galleries but the new style he honed in the early Sixties, inspired by comic strips and advertising, was a complete departure from the naïve style of the early Fifties, influenced by Paul Klee, Joan Miró and Cubism, or his post-1957 Abstract Expressionism. In 1960, Lichtenstein became Assistant Professor at Douglass College in Rutgers University, New York State, where he met Allan Kaprow and a number of leading lights on the Fluxus scene, as well as Claes Oldenburg and George Segal, who were to become fellow icons of the American Pop Art movement. Through Kaprow he got to know the art dealer Leo Castelli, who in 1962 launched the artist's first solo exhibition of paintings imitating printed sources in his gallery in New York. In 1963, Lichtenstein showed his works in Paris, at the Galerie Sonnabend.

Lichtenstein then collected advertisements of consumer goods, enlarging, reframing and rearranging them on canvas. Using either black and white or bold primary colours, he applied the paint using flat uniform sweeps for the pure shades and dots for the half-tones. This visual signature of dots imitated and amplified the Ben-Day grids used in large print runs, a feature of his source images. Male and female stereotypes from advertising or comic strips relating stories of love or war were also called upon, exaggerating all the clichés of the day associated with the genres. The reviews were divided, ranging from vitriolic to ecstatic. A number accused Lichtenstein of plagiarism and anti-art while others saw the cold, flat, depersonalised rendition of these so-called "industrial" paintings as a radically new approach to the medium and a wily criticism of the consumer society. "Is he the worst artist in the U.S.?" cried *Life* in 1964, while pointing to his immense following among collectors, curators, critics and the general public, which was soon to predominate.

Look Mickey
[Regarde, Mickey]

1961
Huile sur toile
Oil on canvas
121,9 × 175,3 cm
National Gallery of Art,
Washington, Dorothy
and Roy Lichtenstein,
Gift of the Artist, in Honor
of the Fiftieth Anniversary
of the National Gallery of Art

« Kaprow m'a bien fait comprendre que mes œuvres n'avaient pas besoin de ressembler à de l'art, ou du moins à ce micmac de textures et de couleurs modulées que les gens considèrent comme de l'art. [...] J'avais envie de dire quelque chose qui n'avait jamais été dit, et il me semblait que la meilleure façon d'y parvenir était d'introduire un aspect industriel [...]. Après tout, le monde ressemblait à ça. »

"Kaprow made it clear to me that my work did not have to look like art, meaning all that business of texture and modulated colours that people think of as art. [...] I wanted to say something that hadn't been said before, and it seemed to me that the way to do that was to make it look industrial [...]. This was the way the world really looked, after all."

« Je n'ai pas vu beaucoup de happenings, mais j'avais l'impression qu'ils témoignaient d'un intérêt pour le paysage industriel américain. Ils évoquaient aussi à mes yeux toute la problématique de l'objet et du merchandising. »

"I didn't see many happenings, but they seemed concerned with the American industrial scene. They also brought up in my mind the whole question of the object and merchandising."

Magnifying Glass
[Loupe]

1963
Huile sur toile
Oil on canvas
40,6 × 40,6 cm
Collection particulière
Private collection

Tire
[Pneu]

1962
Huile sur toile
Oil on canvas
172,7 × 142,2 cm
The Doris and Donald Fisher
Collection, San Francisco and
The Museum of Modern Art,
New York

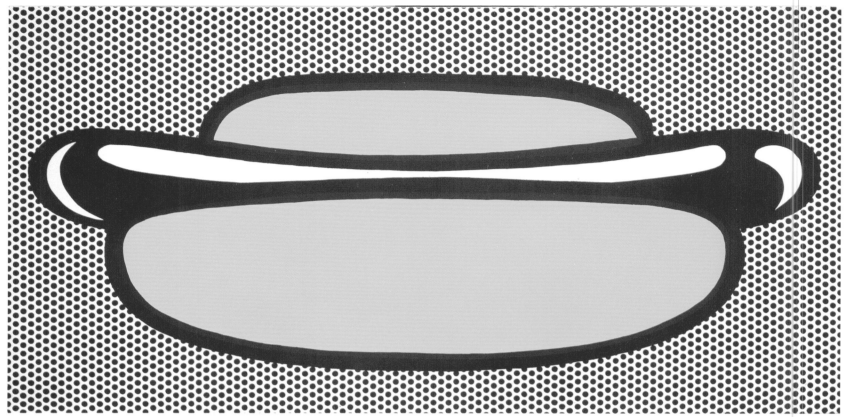

« Je pense que ce qui me plaît dans
l'art commercial [...] c'est son énergie
et son impact, sa franchise,
la sorte d'agressivité et d'hostilité
qu'il véhicule. »

"I think the thing that I find
in commercial art [...] is the energy
and the impact that it has, and
the directness and a kind of aggression
and hostility that comes through it."

Hot Dog

1964
Porcelaine émaillée sur acier
Porcelain enamel on steel
61,2 × 122,2 cm
Édition de 10
Centre Pompidou,
Musée national
d'art moderne, Paris
Achat, **1989** – Purchased 1989

The Ring (Engagement)
[La bague (Fiançailles)]

1962
Huile sur toile
Oil on canvas
121,9 × 177,8 cm
Stefan T. Edlis Collection

« [J'ai] toujours perçu un rapport entre certaines formes d'art commercial et l'art classique : le bel homme et la jolie jeune femme forment une espèce de prototype dans le genre classique ; on tisse là l'archétype de quelque chose… »

"[I have] always seen a relationship between certain kinds of commercial art and classical art: the handsome man and the pretty girl is a kind of prototype in a classical way; you're developing an archetype of something…"

M-Maybe
[P-Peut-être]

1965
Huile et Magna sur toile
Oil and Magna on canvas
152,4 × 152,4 cm
Museum Ludwig, Cologne
Schenkung Ludwig

Drowning Girl
[Jeune femme se noyant]

1963
Huile et Magna sur toile
Oil and Magna on canvas
171,6 × 169,5 cm
The Museum of Modern Art,
New York
Philip Johnson Fund (by exchange)
and gift of Mr. and
Mrs. Bagley Wright, 1971

« Je tiens à ce que mes images soient aussi critiques, menaçantes et appuyées que possible. [...] En tant qu'objets visuels, en tant que peintures – et non en tant que réflexions critiques sur le monde. [...] J'ai été tellement enthousiasmé, tellement happé à la fois par le contenu hautement émotionnel de ces images de bande dessinée et par leur approche détachée et impersonnelle de l'amour, de la haine, de la guerre, etc. »

"I want my images to be as critical, as threatening, and as insistent as possible. [...] As visual objects, as paintings – not as critical commentaries about the world. [...] I was very excited about, and interested in, the highly emotional content yet detached, impersonal handling of love, hate, war, etc., in these cartoon images."

Whaam!

1963
Huile et Magna sur toile
Oil and Magna on canvas
Deux panneaux – Two panels
172,7 × 203,2 cm chacun – each
Tate
Achat, 1966 – Purchased 1966

Wall Explosion II
[Explosion murale II]

1965
Porcelaine émaillée sur acier
Porcelain enamel on steel
170,2 × 188 × 10,2 cm
Tate
Achat, 1980 – Purchased 1980

« Les auteurs de bandes dessinées ont développé des formes spécifiques pour les explosions. C'est pour ça que j'aime également les réaliser en trois dimensions, en émail sur acier. Ça rend très concret quelque chose d'éphémère. »

"Cartoonists have developed explosions into specific forms. That's why I also like to do them in three-dimensions and in enamels on steel. It makes something ephemeral completely concrete."

Expérimentations techniques

Afin de donner une allure mécanique à sa peinture,
Lichtenstein met en œuvre des processus techniques
élaborés, notamment pour le tracé des points ben-day,
qui deviennent de plus en plus grands et réguliers au fil de
son œuvre. Dans un même élan d'inventivité, il expérimente
à partir du milieu des années 1960 différents matériaux
et techniques, dont celle de l'émail, qui rappelle la surface
brillante des réfrigérateurs ou des plaques de stations de
métro. Il utilise aussi plusieurs sortes de plastique comme
le Plexiglas ou le Mylar. Il s'intéresse tout particulièrement
aux propriétés optiques et cinétiques du Rowlux, un film
moiré, qu'il utilise pour représenter le ciel ou la mer dans
des séries de paysages maritimes. Il aborde également
la sculpture avec ses bas-reliefs d'explosions en acier
émaillé, ses têtes de femmes, ses tasses et ses soucoupes
empilées en céramique vernissée. Dans ce passage à
la tridimensionnalité, il conserve de manière tout à fait
paradoxale des conventions illusionnistes propres à la
peinture, comme la figuration des ombres ou des volumes,
qui deviennent purement décoratives.

Technical Experimentation

In order to lend a mechanical aspect to his painting,
Lichtenstein launched a series of elaborate technical
processes, with his Ben-Day dots in particular becoming
increasingly large and regular as his work evolved.
This same inventive surge led him from the mid-Sixties
to experiment with various materials and techniques,
including enamel, which conjured up the shiny surface
of fridges and subway station nameplates. He also used
a number of kinds of plastic such as Plexiglas and Mylar.
He was particularly fascinated by the optical and kinetic
properties of Rowlux, a moiré, reflective film, which
he used to depict the sky or the sea in a series of seascapes.
He turned to sculpture as well, with his bas-reliefs
explosions in enamelled steel, his glazed ceramic female
heads and stacked cups and saucers. Paradoxically,
however, in this graduation towards the three-dimensional,
he retained the illusionist conventions of traditional
painting, such as the depiction of shadows and volumes,
while keeping them purely decorative.

Blonde

1965
Céramique, peinture
Ceramic, paint
38,1 × 21 × 20,3 cm
Museum Ludwig, Cologne

COUPS DE PINCEAU ————————

À l'automne 1965, apparaît pour la première fois dans la peinture de Lichtenstein le motif du *brushstroke* [coup de pinceau] que l'artiste reprend et développe ensuite dans différents formats et médiums. L'idée lui vient grâce à une vignette de bande dessinée représentant un peintre hachurant une toile de coups de pinceau. Dans la transposition qu'il en fait, la main du peintre est encore présente (voir ci-contre) mais disparaît dès les toiles suivantes qu'il réalise jusqu'en 1966, où le signe du coup de pinceau largement agrandi prend toute son autonomie. Les coulures et la vigueur des aplats singent très directement le maniérisme et la spontanéité de l'expressionnisme abstrait, qui s'oppose radicalement à la composition précise et aux aspects mécanique et froid de sa propre peinture. Le rendu soigneusement figé des coups de pinceau, cernés de noir dans le style *cartoon*, sur des fonds uniformes de points ben-day neutralise les affects généralement associés à ce mouvement. Plus largement, Lichtenstein cherche à évoquer la tradition gestuelle d'un pan de la peinture européenne depuis la Renaissance. La série des *Brushstrokes* propose ainsi un commentaire tautologique sur la peinture, en prenant pour sujet la matière picturale. De nature abstraite, cette dernière s'incarne paradoxalement dans une forme concrète : une représentation figurée frontale et plate, reprenant les conventions de l'image imprimée.

À partir de 1980, Lichtenstein recourt à nouveau au motif du coup de pinceau dans plusieurs séries de tableaux, oscillant entre figuration et abstraction. Il reprend notamment les *Women* de Willem de Kooning, l'un des représentants de l'école de New York, dans quatre tableaux réalisés entre 1981 et 1982. L'utilisation mêlée des coups de pinceau stylisés de 1965-1966 et de « véritables » coups de pinceau forment des compositions figuratives reprenant des thèmes classiques – natures mortes, paysages, portraits – de plus en plus complexes et des séquences plus ouvertement abstraites. Durant la même période, Lichtenstein s'engage également dans une recherche sculpturale à partir du *brushstroke*, qui donne lieu à plusieurs réalisations monumentales en Europe, aux États-Unis et en Asie. Il réalise notamment *Coups de pinceau* (1988) pour la Caisse des dépôts et consignations, à Paris. Les pans colorés, représentant les touches de peinture, réalisés en bronze, en aluminium ou en bois peints, s'enchevêtrent dans des compositions spatialisées tridimensionnelles se jouant du paradoxe de représenter en sculpture un pur geste pictural.

BRUSHSTROKES ————————

The brushstroke appeared for the first time in Lichtenstein's painting in the autumn of 1965 and was subsequently developed and adapted to a variety of formats and mediums. He derived the idea from a comic strip featuring a painter slashing a canvas with brushstrokes. In his rendition, the painter's hand is still visible (see opposite) but has disappeared in the following canvases, in which the presence of the brushstroke, considerably enlarged by 1966, has really taken off. The drippings and energy of the flat sweeps of colour deliberately ape the mannerism and spontaneity of Abstract Expressionism, which radically countered the precise composition of his own painting, with its mechanical, cold aspects. The carefully frozen rendering of the brushstrokes, outlined in black like cartoons against a uniform background of Ben-Day dots, cancels out the affects generally associated with this movement. On a wider scale, Lichtenstein is seeking to convey the gestural tradition of a facet of post-Renaissance European painting. The *Brushstrokes* series therefore offers a tautological reading of painting by taking pictorial matter as its subject. Despite its abstract nature, the latter is paradoxically depicted in concrete form, in a frontal, flat, figurative rendering which harks back to the conventions of the printed image.

After 1980, Lichtenstein returned to the brushstroke motif in a number of series, oscillating between figuration and abstraction. He took a new slant on *Women* by Willem de Kooning, one of the figures of the New York School, through the four canvases he created between 1981 and 1982. The blend of his 1965-1966 stylised brushstrokes and "real" brushstrokes formed figurative compositions featuring increasingly complex classical themes – still lifes, landscapes and portraits – and more patently abstract sequences. During the same period, Lichtenstein also delved into the sculptural ramifications of the brushstroke, which gave rise to several monumental creations in Europe, the United States and Asia. These included *Coups de pinceau* [Brushstrokes] (1988) for the Caisse des dépôts et consignations in Paris. The coloured facets in bronze, aluminium or painted wood, depicting brushstrokes, are interwoven in three-dimensional spatial compositions which play with the paradox of representing a quintessentially pictorial gesture in sculptural form.

« Je veux que
mon tableau ait l'air
d'avoir été programmé.
Je veux cacher
la trace de ma main. »

"I want my painting
to look as if it has
been programmed.
I want to hide
the record of my hand."

Brushstrokes
[Coups de pinceau]

1965
Huile et Magna sur toile
Oil and Magna on canvas
122,5 × 122,5 cm
Collection particulière
Private collection

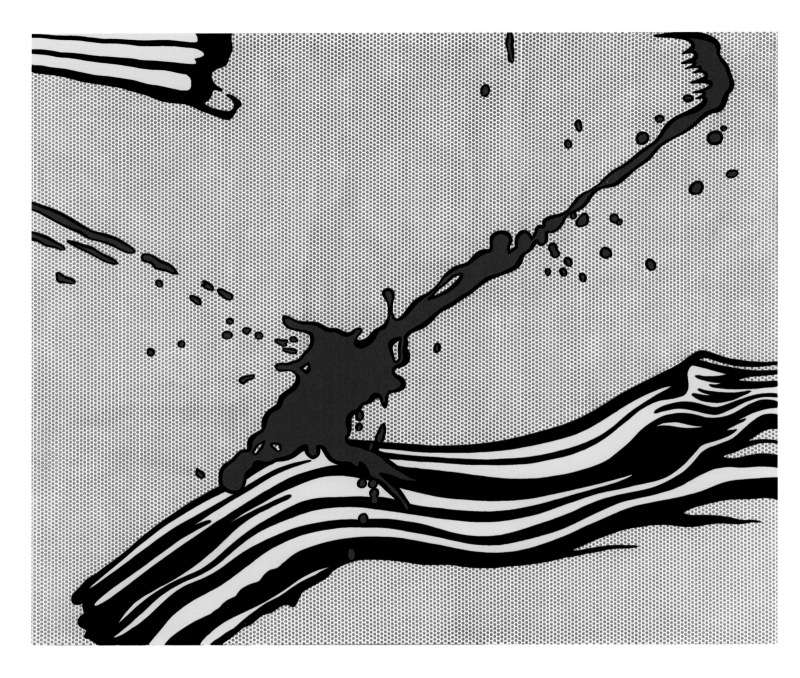

Brushstroke with Spatter
[Coup de pinceau
avec éclaboussure]

1966
Huile et Magna sur toile
Oil and Magna on canvas
172,7 × 203,2 cm
The Art Institute of Chicago
Barbara Neff Smith and Solomon Byron
Smith Purchase Fund

« La nature même d'un coup de pinceau est antinomique
par rapport aux contours et au remplissage tels qu'ils
se pratiquent dans la bande dessinée. J'ai donc développé
une forme pour cela, ce que j'essaie aussi de faire pour les
explosions, les avions et les personnages – à savoir, obtenir
une chose standardisée – un tampon ou une image. »

Little Big Painting
[Petite grande peinture]

1965
Huile et Magna sur toile
Oil and Magna on canvas
172,7 × 203,2 cm
Whitney Museum of American Art,
New York
Purchase, with funds from the
Friends of the Whitney Museum of
American Art

"The very nature of a brushstroke is anathema to outlining and filling
in as used in cartoons. So I developed a form for it which is what
I am trying to do in the explosions, airplanes, and people – that is,
to get a standardised thing – a stamp or image."

Brushstroke Sculpture
[Sculpture coup de pinceau]

1981
Bronze peint et patiné
Painted and patinated bronze
79,7 × 34,9 × 16,5 cm
Édition 1/6
Collection particulière
Private collection

« [Les] coups de pinceau revêtent une importance primordiale dans l'histoire de l'art. Les coups de pinceau sont presque un symbole de l'art. [...] Bien sûr, quand les coups de pinceau sont visibles sur une toile, on y voit un côté grand geste. Mais, entre mes doigts, le coup de pinceau devient la *représentation* de ce grand geste. Il y a ainsi une contradiction frappante entre ce que je dépeins et comment je le dépeins. »

"[B]rushstrokes have such an important history in art. Brushstrokes are almost a symbol of art. [...] Of course visible brushstrokes in a painting convey a sense of grand gesture. But, in my hands, the brushstroke becomes a *depiction* of a grand gesture. So the contradiction between what I'm portraying and how I'm portraying it is in sharp contrast."

Fishing Village
[Village de pêcheurs]

1987
Huile et Magna sur toile
Oil and Magna on canvas
198,1 × 304,8 cm
Courtesy of Fondation Carmignac

LE DUPLICATEUR
D'IMAGES _____

En 1966, Lichtenstein cesse, pour un temps, d'utiliser l'imagerie de la bande dessinée sans pour autant délaisser les références à l'imprimé et sa manière en aplats et points ben-day. Il puise alors dans un vaste répertoire de formes et de représentations existantes issues de l'histoire de l'art moderne européen, qu'il recompose à partir de reproductions trouvées dans des ouvrages. Ce principe d'appropriation n'est pas nouveau dans son œuvre. Au début des années 1950, ses tableaux ont transposé dans un style naïf des peintures académiques du XIXᵉ siècle illustrant l'histoire américaine. Après avoir opéré sa révolution stylistique du début des années 1960, il continue de peindre d'après des œuvres existantes. Dès 1962, il réalise une série de portraits de femmes d'après Picasso et des tableaux inspirés de Mondrian et Cézanne, avec lesquels il considère partager l'esprit d'une certaine synthèse formelle. Avec *Femme d'Alger* (1963), d'après le tableau de Picasso reprenant Delacroix, il inscrit sa démarche dans une pratique de la citation déjà initiée par certains des artistes qu'il parodie.

Le travail de Lichtenstein s'organise à partir de 1966 en ensembles thématiques successifs qui se rapportent chacun à une période, un mouvement ou un genre de l'histoire de l'art. Créateur prolifique, il peint jusqu'à vingt toiles simultanément. Il réalise d'abord une série de peintures modernes et modulaires proche de l'abstraction reprenant des motifs issus de l'architecture et du design Art déco et Modern Style (1966-1971). Il poursuit son entreprise de relecture de l'histoire de l'art sans programme préétabli en créant, entre autres, des natures mortes cubistes (1973-1975) ou puristes (1975-1976), des tableaux inspirées du futurisme (1974-1976), du surréalisme (1977-1979) ou encore de l'expressionnisme allemand (1979-1980). Il cite parfois directement un artiste, comme Picasso, une référence constante, mais également Matisse, Léger ou Brancusi, dont les œuvres largement diffusées sont devenues si familières. Il en simplifie les formes et les couleurs, poursuivant le processus d'aplanissement déjà entamé par la reproduction imprimée. Souvent, ses peintures condensent des emprunts à plusieurs artistes à la fois et donnent une vision superficielle, stéréotypée et unifiée d'une période de l'histoire de l'art, réduite à ses clichés. L'hybridation grandissante des sujets et des références s'accompagne d'un élargissement de la palette de couleurs et de l'apparition de motifs de hachures et de veines de bois, inspirés de la gravure sur bois, qui s'ajoutent aux aplats de couleur pure et aux points ben-day.

THE IMAGE
DUPLICATOR _____

In 1966, Lichtenstein stopped using cartoon imagery for a while but did not abandon his references to the printed form and its use of flat sweeps of colour and Ben-Day dots. He began to draw on a vast repertoire of existing forms and expressions from modern European art history, which he reworked after reproductions in books. This principle of appropriation was not new to him. In the early Fifties, his canvases had made naïve renditions of nineteenth-century academic paintings relating American history. In the wake of his stylistic revolution in the early Sixties he continued to paint after existing works. Back in 1962, he produced a series of female portraits after Picasso, together with canvases inspired by Mondrian and Cézanne, whose particular formal synthesis seemed akin to his own. In *Femme d'Alger* (1963), after Picasso's take on Delacroix, his approach reflected a referencing technique already initiated by a number of the artists he was parodying.

After 1966, Lichtenstein's work revolved around a series of themed ensembles, each relating to a particular period, movement or genre in the history of art. A hugely prolific painter, he was able to work on up to twenty canvases at any one time. He first created a series of Abstract-like modern and modular paintings, drawing on motifs emanating from the architecture and design of the Art Deco and Modern Style (1966-1971). He pursued his rereading of the history of art with no pre-established pattern in mind, producing among others Cubist (1973-1975) and Purist (1975-1976) still lifes, canvases inspired by Futurism (1974-1976) and Surrealism (1977-1979) and even by German Expressionism (1979-1980). He would occasionally quote directly from an artist such as Picasso, one of his constant references, but also from Matisse, Léger or Brancusi, whose widely disseminated works had become so familiar. He simplified forms and colours, thereby perpetuating the planing down process that had begun with printed reproductions. His painting often condensed borrowings from several artists at once, producing a superficial, stereotyped and unified vision of a period in the history of art, reduced to mere clichés. The increasingly hybrid nature of his subjects and references went hand-in-hand with a broader palette of colours and the emergence of hatching and veined wood, inspired by woodcuts, which joined the sweeps of pure colour and Ben-Day dots.

Still Life after Picasso
[Nature morte
d'après Picasso]

1964
Magna sur Plexiglas
Magna on Plexiglas
121,9 × 152,4 cm
Collection of Barbara Bertozzi Castelli

« Un Picasso est devenu une sorte d'objet
populaire – on a l'impression qu'il devrait y avoir
la reproduction d'un Picasso dans chaque
maison. [...] Je veux réaliser une espèce de
"Picasso de braderie" – qui ait l'air incompris
tout en possédant sa propre légitimité.
Une grande partie de tout cela est tout
simplement de l'humour. »

"A Picasso has become a kind of popular
object – one has a feeling there should be a
reproduction of Picasso in every home. [...]
It's a kind of "plain-pipe-racks Picasso" I want to
do – one that looks misunderstood and yet has
its own validity. A lot of it is just plain humour."

« J'avais envie de reprendre les œuvres d'autres artistes non pas telles qu'elles apparaissaient mais telles qu'on pouvait les comprendre – selon l'idée qu'on s'en faisait ou la façon dont elles pouvaient être oralement décrites. [...] Je choisissais des images qui étaient devenues familières, claires et conceptualisées. »

"I was interested in doing other artists' works not so much as they appear but as they might be understood – the idea of them, or as they might be described verbally. [...] I chose images that had become public and clear and conceptualised."

Rouen Cathedral, Set 5
[Cathédrale de Rouen, suite 5]

1969
Huile et Magna sur toile
Oil and Magna on canvas
Trois panneaux – Three panels
160 × 355,6 cm
(chacun – each : 160 × 106,7 cm)
San Francisco Museum of Modern Art
Gift of Harry W. and Mary Margaret Anderson

Bull Profile Series
[Série Profil de taureau]

1973
6 œuvres sur papier Arjomari :
gravure en taille douce,
lithographie, sérigraphie
6 works on Arjomari paper:
line cut, lithograph, screenprint
68,6 × 88 cm chacune – each
Édition de 100
Bibliothèque nationale de France, Paris
Département des estampes
et de la photographie

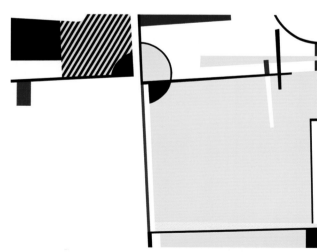

Non-Objective I
[Non-Objectif I]

1964
Huile et Magna sur toile
Oil and Magna on canvas
142,9 × 121,9 cm
The Eli and Edythe L. Broad
Collection, Los Angeles

« Ce qui m'intéresse dans l'art des années 1930, c'est sa dimension conceptuelle. Il obéit à une logique particulière basée sur le compas, l'équerre et le triangle. [Les gens] se considéraient comme plus modernes que nous aujourd'hui et leur art présente une sophistication naïve et confiante qui me plaît. »

"What interests me in 1930s art is its conceptual nature. It obeys a peculiar logic based on the compass, the set square and the triangle. [People] saw themselves as more modern than we do today and their art betrays a naive, trusting sophistication that appeals to me."

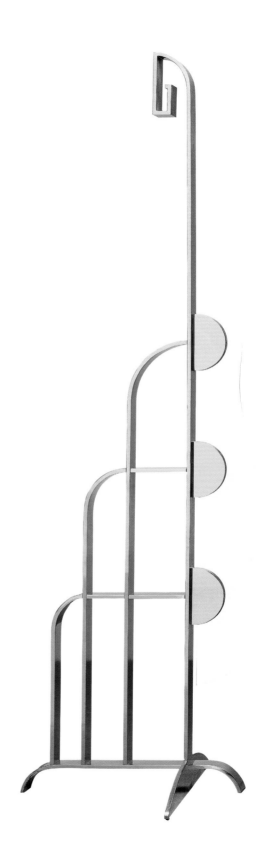

Modern Sculpture with Glass Wave
[Sculpture moderne avec vague en verre]

1967
Laiton et verre
Brass and glass
231,8 × 73,8 × 70,1 cm
Édition 1/3
The Museum of Modern Art, New York
Gift of Mr. and Mrs. Richard L. Selle, 1976

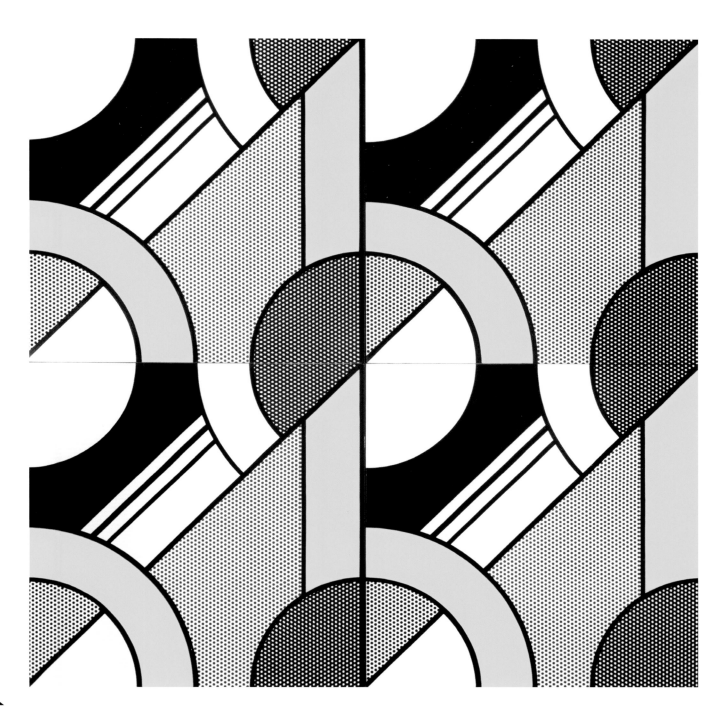

*Modular Painting
with Four Panels #4*
[Peinture modulaire en
quatre panneaux nº 4]

1969
Huile et Magna sur toile
sur 4 panneaux – Oil and Magna
on canvas on 4 panels
274 × 274 cm (chaque panneau
– each panel : 137 × 137 cm)
Centre Pompidou, Musée national
d'art moderne, Paris
Achat, 1977 – Purchased 1977

Ateliers et autocitation

En 1972, Lichtenstein commence à citer ses propres œuvres,
à l'arrière-plan de ses natures mortes. L'autocitation devient manifeste
en 1973 et 1974, lorsqu'il peint quatre grandes toiles intitulées
Artist's Studio [Atelier d'artiste] qui reprennent le thème de l'atelier
d'artiste et s'inspirent notamment de l'*Atelier rouge* (1911) de Matisse.
Les tableaux aux murs reproduisent avec une grande exactitude
ses peintures en miniature. Certains des objets qui meublent les quatre
intérieurs reprennent eux-mêmes des œuvres des années 1960,
comme le canapé et le téléphone dans *Artist's Studio "Look Mickey"*
[Atelier d'artiste « Regarde, Mickey »] (1973). Lichtenstein poursuit
cet assemblage de « tableaux dans le tableau » dans ses séries
Paintings [Peintures] et *Two Paintings* [Deux peintures] (1982-1984),
représentant des vues juxtaposant des toiles encadrées, et dans
la série *Interiors* [Intérieurs] (1990-1997), reproduisant quasiment
à l'échelle 1/1 des appartements standardisés, inspirés notamment
de publicités parues dans les Pages jaunes, décorés de toiles et de
sculptures de l'artiste. Il puise également dans son propre répertoire
formel pour exécuter des peintures murales monumentales qui
forment de véritables anthologies de son travail, comme le *Mural with
Blue Brushstroke* [Peinture murale au coup de pinceau bleu] (1986),
installé dans l'atrium du gratte-ciel Equitable à New York, qui compile
les références sur plus de vingt mètres de hauteur.

Studios and Self-Quotation

In 1972, as a backdrop to his still lifes, Lichtenstein took to quoting his
own works. This self-quotation came to the fore in 1973 and 1974,
when he painted his four large canvases entitled *Artist's Studio*, largely
inspired by Matisse's *Atelier rouge* (1911). The pictures hanging on
the wall are faithful replicas of his paintings in miniature. A number of
the objects featured in the four interiors, such as the sofa and telephone
in *Artist's Studio "Look Mickey"* (1973), hark back to his own 1960s
works. Lichtenstein continued his foray into "paintings within painting"
in his series *Paintings* and *Two Paintings* (1982-1984), depicting a
juxtaposition of framed works, and in the series *Interiors* (1990-1997),
which reproduced virtually full-scale standardised apartments,
inspired in part by advertisements in the Yellow Pages, decorated with
the artist's paintings and sculptures. He also drew on his own formal
repertoire to create a virtual anthology of his work, in the shape
of monumental murals such as *Mural with Blue Brushstroke* (1986),
for the atrium of the Equitable Tower in New York, which compiles a host
of references spanning over twenty meters.

Artist's Studio
"Look Mickey"
[Atelier d'artiste
« Regarde, Mickey »]

1973
Huile, Magna et sable avec
poudre d'aluminium sur toile
Oil, Magna and sand with
aluminium powder on canvas
243,8 × 325,1 cm
Walker Art Center, Minneapolis
Gift of Judy and Kenneth Dayton and
the T.B. Walker Foundation, 1981

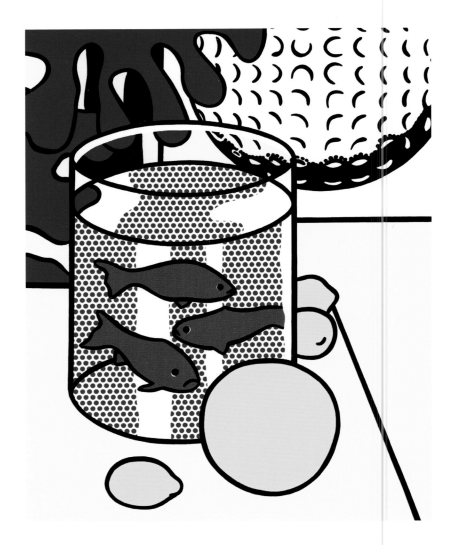

Goldfish Bowl II
[Bocal aux poissons
rouges II]

1978
Bronze peint et patiné
Painted and patinated bronze
99,1 × 64,1 × 28,6 cm
Édition 3/3
Collection particulière
Private collection

Still Life with Goldfish
[Nature morte
aux poissons rouges]

1972
Huile et Magna sur toile
Oil and Magna on canvas
132,1 × 106,7 cm
Collection particulière
Private collection

Artist's Studio
"The Dance"
[Atelier d'artiste
« La Danse »]

1974
Huile et Magna sur toile
Oil and Magna on canvas
244,3 × 325,5 cm
The Museum of Modern Art,
New York
Gift of Mr. and Mrs.
S. I. Newhouse, Jr., 1990

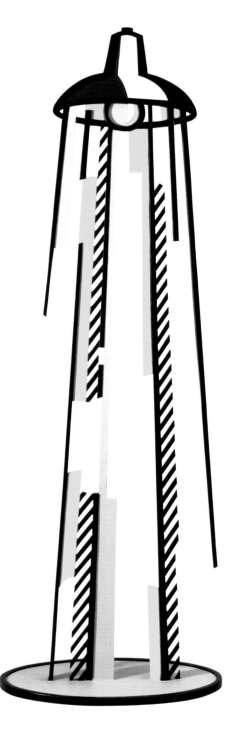

Lamp II
[Lampe II]

1977
Bronze peint et patiné
Painted and patinated bronze
219,1 × 70,2 × 44,8 cm
Édition 1/3
Collection particulière
Private collection

Sculpture

Lichtenstein élabore à plusieurs reprises une forme sculpturale directement dérivée des motifs qui apparaissent dans ses toiles, comme ses *Modern Sculptures* [Sculptures modernes] et *Modern Heads* [Têtes modernes] de la fin des années 1960 ou la série de têtes (expressionnistes, surréalistes, archaïques, en *brushstrokes*, etc.) des années 1980. Quasiment plates, elles tracent des dessins dans l'espace qui n'offrent qu'un point de vue frontal. La qualité noble du matériau utilisé (souvent du bronze) est la plupart du temps reléguée sous une couche de peinture. Entre 1976 et 1979, il développe une série particulièrement conséquente composée d'une vingtaine de sculptures reprenant des motifs de miroirs, de lampes ou de verres issus de sa série de natures mortes. Le volume, les jeux de transparence et de lumière propres aux objets tridimensionnels sont aplatis dans des perspectives forcées et figurés de manière graphique à l'aide de hachures, de zones de couleurs et de vides.

Sculpture

On a number of occasions, Lichtenstein tackled a sculptural form that was directly derived from motifs that had appeared in his paintings, such as *Modern Sculptures* and *Modern Heads* in the late Sixties and the series of heads (Expressionist, Surrealist, Archaic, in brushstrokes, etc.) in the Eighties. Almost flat, these trace drawings in space from a purely frontal point of view. The noble quality of the material (frequently bronze) is usually relegated beneath a layer of paint. Between 1976 and 1979, he developed a particularly prolific series comprising around twenty sculptures harking back to the mirror, lamp and glass motifs of his series of still lifes. The volume and play on transparency and light that characterise three-dimensional objects are flattened by forced perspectives and rendered graphically through hatching, coloured areas and patches of emptiness.

Picture and Pitcher
[Image et cruche]

1978
Bronze peint et patiné
Painted and patinated bronze
240 × 140,1 × 66 cm
Édition 3/3
Collection particulière
Private collection

« [Mes sculptures] sont vraiment des espèces de peintures découpées. [...] J'ai toujours aimé concrétiser des choses éphémères [...] quelque chose de si fugace que cela n'a pas d'existence réelle, si ce n'est dans la description qu'en fait l'auteur de bandes dessinées ou d'annonces publicitaires. [...] J'ai un penchant pour les miroirs, pour l'eau, le verre et tous les objets qui réfléchissent, ainsi que pour les lampes et les mobiles, si lourds, si "im-mobiles". Parfois, les pièces sont plates. Plusieurs sont semblables de chaque côté, sans vue sur les deux autres faces, mais une bonne partie de la sculpture moderne est comme ça. »

"[My sculptures] really are kind of cut-out pictures. [...] I always liked to make ephemeral things concrete [...] something so fleeting that is doesn't really exist except in the cartoonish or commercial artist's way of describing something. [...] I tend to mirrors and water glasses and things that reflect and lamps and mobiles that are so heavy and so un-mobile. Sometimes they are flat and many are the same on each side without view on the two other sides, but a lot of modern sculpture is like that."

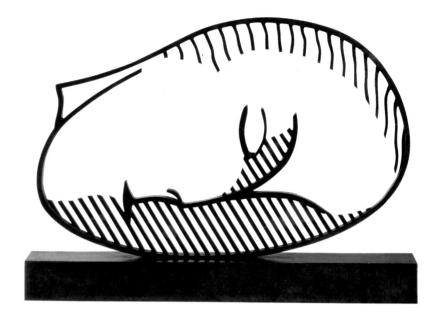

Sleeping Muse
[Muse endormie]

1983
Bronze patiné
Patinated bronze
64,8 × 87 × 10,2 cm
Édition 3/6
Collection particulière
Private collection

Two Paintings:
Sleeping Muse
[Deux peintures :
Muse endormie]

1984
De la série *Paintings* [Peintures]
Gravure sur bois, lithographie et
sérigraphie sur papier Arches 88
Woodcut, lithograph, and
screenprint on Arches 88 paper
96,2 × 124,3 cm
Épreuve d'artiste 4/11
Collection particulière
Private collection

Expressionist Head
[Tête expressionniste]

1980
Bronze peint et patiné,
socle en bois peint
Painted and patinated bronze,
painted wooden base
191,1 × 114,3 × 57,2 cm
(avec socle – with base)
Édition 4/6
Collection particulière
Private collection

Head
[Tête]

1980
De la série *Expressionist Woodcuts*
[Gravures sur bois expressionnistes]
Gravure sur bois avec gaufrage
sur papier Arches Cover – Woodcut
with embossing on Arches Cover paper
101,3 × 85,4 cm
Épreuve d'artiste 4/9
Collection particulière
Private collection

Figures with Rope
[Figures avec corde]

1978
De la série *Surrealist* [Surréaliste]
Lithographie sur papier Arches 88
Lithograph on Arches 88 paper
55,9 × 76 cm
Épreuve d'artiste 2
Collection particulière
Private collection

Estampes

Si Lichtenstein produit des estampes depuis la fin des années 1940, sa pratique s'intensifie à partir de 1969, avec la réalisation des *Cathedrals* [Cathédrales] et des *Haystacks* [Meules de foin] d'après Claude Monet, dont la sérialité du motif se prête particulièrement à une production de multiples. À partir de cette date, il réalise presque chaque année une nouvelle série, la plupart du temps liée à un thème abordé dans ses peintures, passant plusieurs semaines à élaborer les épreuves aux côtés des maîtres imprimeurs. Il travaille principalement avec Gemini G.E.L., Tyler Graphics Ltd. et avec Donald J. Saff (successivement à Graphicstudio et Saff Tech Arts), des ateliers réputés pour leur savoir-faire exceptionnel et leur implication dans la recherche d'innovations techniques. Créateur insatiable, Lichtenstein emploie souvent plusieurs techniques dans une même image (sérigraphie, lithographie, gravure en taille douce, gravure sur bois, gaufrage, etc.) et utilise différentes sortes de supports (papiers, feuilles en plastique ou métalliques, etc.). Dans la lignée de l'aspect mécanique de son style, l'estampe ouvre un nouveau champ de possibilités dans le traitement des surfaces et de leurs textures, que n'offre pas toujours la peinture.

Prints

Although Lichtenstein had been producing prints since the late 1940s, he intensified his output from 1969 with *Cathedrals* and *Haystacks* after Claude Monet, the serial nature of these motifs lending themselves particularly well to the production of multiples. From then on, he brought out a new series almost every year, most of which were linked to a theme he had already tackled in his paintings, and would spend several weeks honing the proofs alongside master-printers. He worked mainly with Gemini G.E.L., Tyler Graphics Ltd. and Donald J. Saff (first at Graphicstudio and then at Saff Tech Arts), all of which were renowned for their exceptional expertise and commitment to technical innovation. Lichtenstein's insatiable appetite meant that he often used several different techniques within a single image (screenprinting, lithography, line cut, woodcuts, embossing, etc.), not to mention a variety of backings (paper, plastic and metal sheets, etc.). In keeping with the mechanical dimension of his work, prints, in their rendering of surfaces and textures, opened up a realm of possibilities that could not always be feasibly attained through painting.

Surrealist Head
[Tête surréaliste]

1986
Bronze peint et patiné
Painted and patinated bronze
200,7 × 71,1 × 44,1 cm
Épreuve d'artiste
d'une édition de 6
Collection particulière
Private collection

MIROIRS ET
PEINTURES-OBJETS

En 1969, Lichtenstein initie une vaste série de tableaux figurant des miroirs (*Mirrors*). Ovales, circulaires ou en plusieurs panneaux rectangulaires, on en dénombre près de cinquante, peints jusqu'en 1972. Déjà préoccupé par ce sujet classique dans l'histoire de l'art, il a représenté à plusieurs reprises, au début des années 1960, un miroir ou une loupe, mais son approche devient plus abstraite dans cette nouvelle série de *Mirrors*. Ces œuvres s'inspirent de ses propres photographies de miroirs grossissants et de représentations schématiques réalisées à la peinture aérographe trouvées dans des brochures de fabricants de miroirs. Lichtenstein s'intéresse particulièrement à la manière dont les auteurs de ces images ont utilisé des motifs conventionnels – des lignes et des bandes en diagonales parallèles ou serpentines – pour rendre la nature de la surface représentée et ses propriétés réflexives. Les miroirs peints de l'artiste sont zébrés de symboles de reflets similaires, réalisés au moyen d'aplats de couleurs opaques et de bandes de points de tailles graduées, sur fond blanc. Les dimensions et la forme de la toile correspondent exactement à celles du sujet représenté, évoquant la matérialité du véritable objet. S'ils simulent la surface et la présence physique de vrais miroirs, ces tableaux ne reflètent rien et révèlent d'emblée au spectateur, censé pouvoir y apercevoir son reflet, l'artifice du trompe-l'œil. Le miroir incarne un des objets métaphoriques utilisés par l'artiste dans sa réflexion sur les enjeux de la représentation et de la reproduction.

À la même période, Lichtenstein réalise les *Entablatures* [Entablements] (1971-1976), reproductions de fragments d'entablements d'architecture photographiés dans les rues de New York, et travaille à plusieurs autres séries de peintures-objets. Parmi elles, la série des *Stretcher Frames* [Châssis] (1968) représente l'arrière de toiles tandis que les *Trompe l'œils* et les *Studio Walls* [Murs d'atelier] (1973) montrent des panneaux de bois sur lesquels sont cloués, comme dans un atelier d'artiste, pinceaux et fragments de reproductions de tableaux, reprenant un thème abordé par plusieurs peintres américains au XIXᵉ siècle. Ces œuvres évoquent la réalité matérielle de la peinture. Mais traitées dans un style *comics*, elles ne trompent pas et affirment leur statut de représentations peintes.

MIRRORS AND
OBJECT-PAINTINGS

In 1969, Lichtenstein initiated a vast series of paintings entitled *Mirrors*. By 1972 he had produced almost fifty of these, in oval and circular form or in rectangular panels. Back in the early Sixties, he had already been drawn to this classical motif in the history of art, depicting mirrors and magnifying-glasses on a number of occasions, but his approach became more abstract with this new series of *Mirrors*. These works are derived from his own photographs of magnifying mirrors as well as airbrushed diagrams he found in manufacturers' brochures. Lichtenstein was particularly interested in the way the creators of these images had used conventional motifs – parallel or snaking diagonal lines and strips – in order to render the nature of the surface and its reflective properties. The artist's painted mirrors are striated with symbols of similar reflections, created in flat sweeps of opaque colours and strips of dots in graduated sizes against a white background. The size and shape of the canvas correspond precisely to those of its subject-matter, emphasising the materiality of the actual object. Although they simulate the surface and physical presence of real mirrors, however, the paintings do not actually reflect anything, using *trompe l'œil* to beguile the observer, who was expecting to see his own reflection in them. The mirror is an incarnation of the metaphorical objects that underpinned the artist's research into representation and reproduction.

During this same period, Lichtenstein produced his *Entablatures* (1971-1976), reproductions of fragments of architectural entablatures photographed in the streets of New York, and also worked on several other series of object-paintings. One of these, the series *Stretcher Frames* (1968), portrays canvases from behind, while *Trompe l'œils* and *Studio Walls* (1973) show wooden panels with brushes and fragments of reproductions of paintings nailed into them, as in an artist's studio, a theme dear to several nineteenth-century American painters. These works evoke the material reality of painting. Their comic-style rendition, however, fools no one and confirms their status as painted representations.

The reflection motif makes a significant reappearance in the series *Reflections* (1988-1990), which represents framed paintings under glass. Here Lichtenstein makes a return to some of his Sixties

Le motif du reflet réapparaît largement dans la série des *Reflections* [Reflets] (1988-1990), qui représentent des tableaux encadrés sous verre. Lichtenstein reprend là certaines de ses toiles pop des années 1960 et celles d'autres artistes, qu'il zèbre de larges figurations de reflets, jusqu'à rendre la lecture de l'image originale difficile. Comme dans les *Mirrors* ou certaines de ses sculptures, il figure de manière très concrète des choses éphémères. Par la reprise d'anciennes œuvres, Lichtenstein poursuit dans cette série son travail de sape de l'originalité artistique en mettant le spectateur face à l'image d'une image d'une image…

Pop canvases, alongside those of other artists, striating them with large figurative reflections until the original image becomes difficult to discern. As in *Mirrors* or some of his sculptures, he makes an extremely concrete figurative rendition of ephemeral things. By bringing his earlier works back into the arena, Lichtenstein is continuing his undermining of artistic originality by putting the observer face to face with the image of an image of an image…

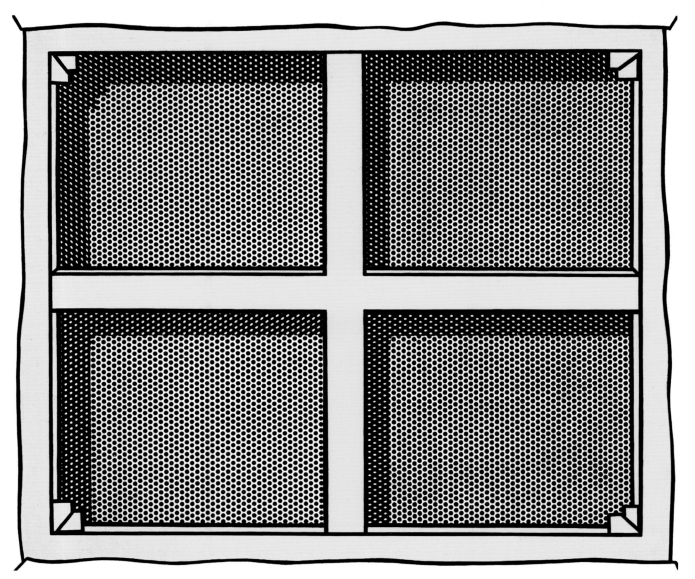

Stretcher Frame with Cross Bars III [Châssis à croisillons III]

1968
Huile et Magna sur toile
Oil and Magna on canvas
121,9 × 142,2 cm
Collection particulière
Private collection

Mirror
[Miroir]

1972
Huile et Magna sur toile
Oil and Magna on canvas
121,9 cm de diamètre
Fondation Beyeler, Bâle

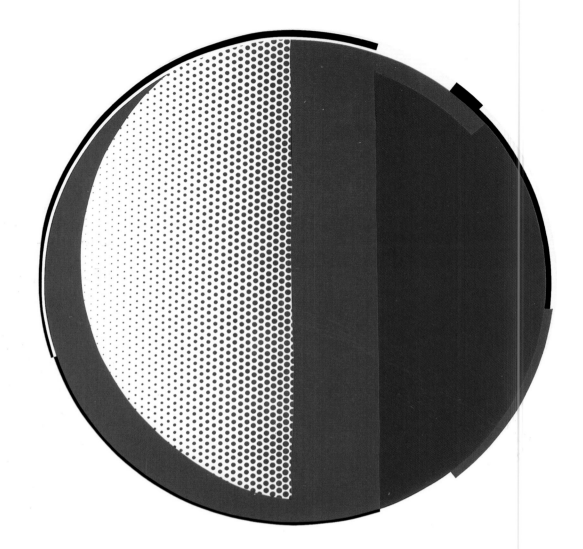

« Créer une peinture qui est également
un objet réduit, en quelque sorte, le fossé
entre la peinture et la sculpture. [...]
Dans mon esprit ces peintures sont liées
au minimalisme et pourraient bien évoquer
une peinture d'Ellsworth Kelly. »

"Making a painting that is also an object
bridges, somewhat, the gap between
painting and sculpture. [...] These paintings
in my mind relate to Minimal Art and might
remind one of an Ellsworth Kelly Painting."

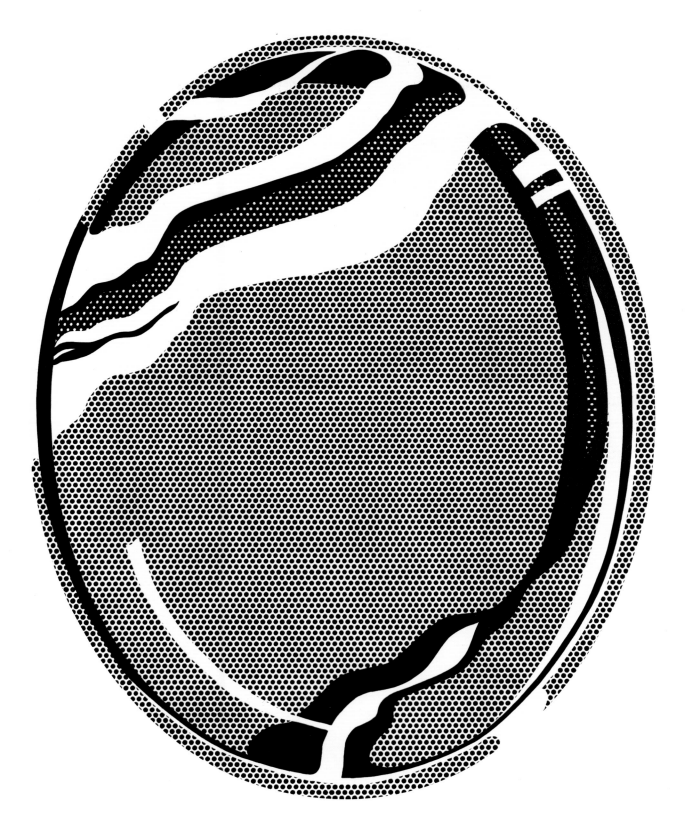

Mirror #1
[Miroir n° 1]

1969
Huile et Magna sur toile
Oil and Magna on canvas
152,4 × 123,2 cm
The Eli and Edythe L. Broad Collection,
Los Angeles

Trompe l'œil with Léger Head and Paintbrush
[Trompe-l'œil avec tête de Léger et pinceau]

1973
Magna sur toile
Magna on canvas
116,8 × 91,4 cm
Collection particulière
Private collection

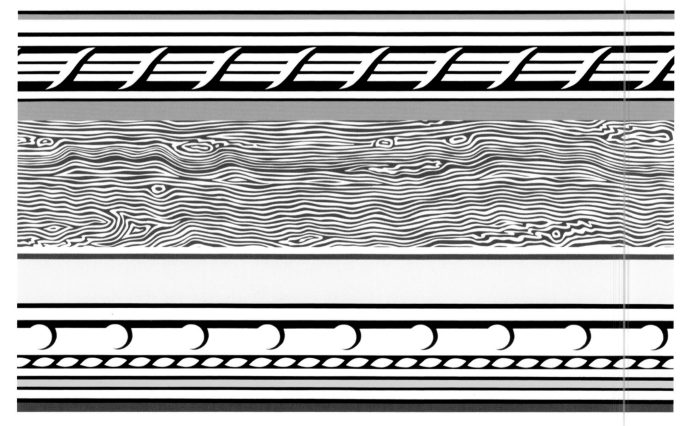

Entablature
[Entablement]

1975
Huile et Magna sur toile
Oil and Magna on canvas
177,8 × 284,5 cm
Musée d'art moderne,
Saint-Étienne Métropole

Reflections on Sure!?
[Reflets sur Certain!?]

1990
Huile et Magna sur toile
Oil and Magna on canvas
101,6 × 91,4 cm
Collection particulière
Private collection

« Le point de départ [des *Reflets*]
fut une tentative de photographier
une estampe de Robert
Rauschenberg, qui était sous
verre. Mais la lumière émanant
d'une fenêtre se réfléchissait à
la surface du verre et m'empêchait
de prendre une bonne photo. [...]
Ensuite, j'ai eu l'idée de faire
la même chose en peinture [...].
Bien entendu les reflets ne sont
qu'un simple prétexte pour créer
une œuvre abstraite. »

"It started [the *Reflections*] when
I tried to photograph a print by
Robert Rauschenberg, which was
under glass. But the light from
a window reflected on the surface
of the glass and prevented me
from taking a good picture. [...]
Later the idea occurred to me
to do the same in painting [...].
Of course the reflections
are just an excuse to make an
abstract work."

LA DERNIÈRE
DÉCENNIE

Au cours des années 1990, Lichtenstein, alors septuagénaire, continue de développer de nouvelles séries d'œuvres abordant des problématiques inédites. En 1993, il se confronte pour la première fois au genre du nu féminin dans ses peintures et ses estampes. Ses fameuses *girls* des années 1960 sont à nouveau mises en scène, mais cette fois en pied et déshabillées. Elles apparaissent dans des pauses alanguies, lisant ou face à un miroir, seules ou à deux, dans des appartements standardisés qui rappellent ceux de la série des *Interiors* entamée trois ans plus tôt. On retrouve également ces sylphides en bord de mer, jouant au beach volley, dans des compositions reprenant tout à la fois sa propre *Girl with Ball* [Jeune femme au ballon] (1961), ses scènes de plage d'inspiration surréaliste de la fin des années 1970 et les baigneuses de Picasso peintes en 1928 à Dinard. L'érotisme, voire le saphisme latent des sujets, est anesthésié par le traitement unifié de ces corps minces, élancés, lisses et glabres, répondant aux canons d'une beauté clinique, presque kitsch, véhiculés par les médias. Les points ben-day, jusque-là traités en aplats liés aux formes, prennent une certaine autonomie. Reprenant le modelé des reflets qui apparaît dans la série des *Mirrors*, des bandes de points gradués rouges ou bleus traversent la composition dans une tentative maniériste de créer des zones d'ombre et ainsi, d'après les mots de l'artiste, un effet de « clair-obscur ».

Ces mêmes modulations des points donnent forme à une nouvelle série de tableaux et d'estampes, initiée en 1995, inspirée des paysages chinois de la dynastie Song (960-1279). Le contour noir qui cerne les objets et les figures dans ses précédentes œuvres disparaît au profit d'aplats de couleurs et de rangées de points qui recouvrent toute la surface de la toile et qui, par leur taille et leur couleur, délimitent les formes de paysages de montagnes et de rivières. De petits personnages, des barques, des ponts et des arbres, peints au pinceau ou à l'éponge, sont discrètement égrenés dans ces compositions. Lichtenstein a déjà abordé à plusieurs reprises ce genre classique du paysage. Entre 1964 et 1967, il en réalise une série dans le style *comics*, inspirée de cartes postales. Au cours des années 1980, il traite ce thème à l'aide du motif du coup de pinceau. Sensible à l'art chinois depuis ses années d'études, il s'inspire dans cette dernière série de reproductions de paysages peints à l'encre sur papier, reprenant leurs formats – longs verticaux ou horizontaux, ronds ou carrés – et le traitement quasi monochromatique des éléments

THE FINAL
DECADE

During the Nineties, Lichtenstein, who was now in his seventies, continued to chart new territories in a succession of new series. In 1993, for the very first time, he tackled the domain of the female nude in his paintings and prints. His famous sixties girls made their comeback but this time full-length and undressed. Reading or facing a mirror, alone or in pairs, they strike languid poses in standardised apartments reminiscent of the *Interiors* series three years earlier. These sylphs are also captured at the seaside, playing beach volley, in compositions amalgamating his own *Girl with Ball* (1961), his Surrealist-inspired beach scenes from the late Seventies and Picasso's bathers, painted in 1928 in Dinard. The latent erotic or even Sapphic nature of the subject-matter is anaesthetised by the unified treatment of the slim, willowy, smooth and silky bodies, which correspond to the canons of clinical, almost kitsch beauty propounded by the media. The Ben-Day dots, hitherto rendered in flat sweeps in accordance with the forms, become somewhat more autonomous. In a nod to his portrayal of reflections in the *Mirrors* series, strips of graduated red and blue dots cover the composition in a Mannerist-like approach to shade, creating, as the artist put it, a *chiaroscuro* effect.

The same dot modulations gave rise to a new series of paintings and prints from 1995, drawing their inspiration from Chinese landscapes of the Song dynasty (960-1279). The black outline surrounding the objects and figures in his previous works gives way to flat areas of colour and rows of dots across the entire surface of the canvas, their size and colour defining the shapes of the mountain and river landscapes. Small figures, rowing boats, bridges and trees, painted with a brush or sponge, are disseminated discreetly throughout these compositions. Lichtenstein had already tackled the classic landscape genre on a number of occasions. Between 1964 and 1967, he devoted a series to them in comic strip style, drawing his inspiration from postcards. In the Eighties, he tackled the theme through the brushstroke motif. He had been attracted to Chinese art since he was a student and in this final series drew on reproductions of landscapes in ink on paper, adopting the same format – long verticals and horizontals, round or square – and the almost monochrome treatment of terrestrial and atmospheric elements blending into one another. Borrowings from traditional Japanese painting, not to mention the monotypes and pastels of Edgar

terrestres et atmosphériques se fondant les uns dans les autres. S'y mêlent aussi des emprunts à la peinture traditionnelle japonaise ainsi qu'aux monotypes et pastels de paysages d'Edgar Degas. Lichtenstein livre ainsi, quelques mois avant de disparaître, une dernière «manière» surprenante d'inventivité : toujours mécanique, mais aussi méditative et empreinte de spiritualité.

Degas' landscapes, are also interwoven. Only a few months before he died, Lichtenstein therefore delivered an ultimate and astonishingly inventive "manner", in which the ever-present mechanical aspect had become meditative and imbued with spirituality.

Nudes with Beach Ball
[Nus au ballon de plage]

1994
Huile et Magna sur toile
Oil and Magna on canvas
301 × 272,4 cm
Collection particulière
Private collection

Woman: Sunlight, Moonlight
[Femme : Lumière du soleil,
clair de lune] (recto et verso)

1996
Bronze peint et patiné
Painted and patinated bronze
104,1 × 64,1 × 34,9 cm
Édition 1/6
Collection particulière
Private collection

« [Mes] nus rendent si peu les notions de chair ou de carnation – ils sont si peu réalistes – que le fait [de recourir au clair-obscur en points gradués et à l'aplat de couleur localisé] souligne le fossé entre la réalité et les conventions artistiques. »

"[With my] nudes there's so little sense of body flesh or skin tones – they're so unrealistic – that using [*chiaroscuro* based on graduated dots and local colour] underscored the separation between reality and artistic convention."

Nude with Bust
[Nu avec buste]

1995
Huile et Magna sur toile
Oil and Magna on canvas
274,3 × 228,6 cm
Collection particulière
Private collection

Landscape with Philosopher
[Paysage avec philosophe]

1996
Huile et Magna sur toile
Oil and Magna on canvas
264,2 × 121,3 cm
Collection particulière
Private collection

« Je pense [que les *Paysages dans le style chinois*] impressionnent les gens à cause de cette aura de mystère propre aux peintures chinoises qui s'en dégage, mais à mon sens, c'est une subtilité plutôt pseudo-contemplative ou mécanique... Je ne suis pas vraiment en train de rendre une sorte d'hommage zen à la beauté de la nature. Leur apparence est vraiment censée rappeler celle d'une version imprimée. »

"I think [the *Landscapes in the Chinese Style*] impress people with having somewhat the same kind of mystery the Chinese paintings have, but in my mind it's a sort of pseudo-contemplative or mechanical subtlety... I'm not seriously doing a kind of Zen-like salute to the beauty of nature. It's really supposed to look like a printed version."

Landscape with Boat
[Paysage avec bateau]

1996
Huile et Magna sur toile
Oil and Magna on canvas
149,2 × 244,5 cm
Collection particulière
Private collection

Scholar's Rock
[Rocher de lettré]

1996

Acier inoxydable moulé et peint
Cast and painted stainless steel
71,1 × 43,5 × 22,2 cm
Épreuve d'artiste
d'une édition de 6
Collection particulière
Private collection

*Landscape with
Scholar's Rock*
[Paysage avec
rocher de lettré]

1997

Huile et Magna sur toile
Oil and Magna on canvas
200,7 × 396,2 cm
Collection particulière
Private collection

CHRONOLOGIE
CHRONOLOGY

—1923-1936—

Le 27 octobre 1923, Roy Fox Lichtenstein naît à Manhattan de Milton (1893-1946) et Beatrice (née Werner, 1896-1991). Milton est agent immobilier pour Lichtenstein & Loeb et copropriétaire de Garage Realty. La famille réside dans l'Upper West Side à New York. En 1927, naît sa sœur Renée. Durant ses jeunes années, Roy développe un fort intérêt pour la science et le dessin, et dessine des maquettes d'avions. Il visite régulièrement l'American Museum of Natural History.

27 October 1923: Roy Fox Lichtenstein is born in Manhattan to Milton (1893-1946) and Beatrice (b. Werner, 1896-1991). Milton is an estate agent for Lichtenstein & Loeb and the joint owner of Garage Realty. The family home is situated on the Upper West Side in New York. His sister Renée is born in 1927. During his childhood years, Roy develops a strong interest in science and drawing and designs model aeroplanes. He makes regular visits to the American Museum of Natural History.

—1937-1939—

Il s'inscrit au cours d'aquarelle du samedi matin à la School of Fine and Applied Art de New York (aujourd'hui connue sous le nom de Parsons The New School for Design), où il peint des natures mortes, des compositions florales et des « paysages romantiques » à l'aquarelle ou à la gouache. Il étudie la clarinette et joue du piano. Il fréquente les clubs de jazz et forme un petit groupe de musique.

He enrols in Saturday morning watercolour classes at the New York School of Fine and Applied Art (now known as Parsons The New School for Design), where he paints watercolour and gouache still lifes, floral compositions and "romantic landscapes". He takes up the clarinet and also plays the piano. He visits jazz clubs and sets up a small band.

—1940-1942—

Pendant l'été 1940, il suit le cours de peinture de Reginald Marsh à l'Art Students League. En septembre 1940, il commence une licence du College of Education à l'université de l'État de l'Ohio (OSU), où il suit notamment le cours de dessin de Hoyt L. Sherman intitulé « Drawing from Life » [Dessiner d'après nature]. À l'automne 1940, il voit le chef-d'œuvre de Picasso, *Guernica* (1937), au Cleveland Museum of Art, qui présente l'exposition « Picasso. His Forty Years of Art » organisée par le Museum of Modern Art (MoMA) de New York. Il commence à réaliser des peintures inspirées par Braque et Picasso.

During the summer of 1940, he attends Reginald Marsh's painting classes at the Art Students League. In September 1940, he begins an undergraduate degree at the College of Education at Ohio State University (OSU) and follows Hoyt L. Sherman's class "Drawing from Life". In autumn 1940, he sees Picasso's masterwork *Guernica* (1937) at the Cleveland Museum of Art, a venue for "Picasso. His Forty Years of Art", organised by the Museum of Modern Art, New York (MoMA). He begins producing paintings inspired by Braque and Picasso.

—1943-1945—

En février 1943, il est appelé dans l'armée américaine. Il sert comme officier d'ordonnance auprès d'un major général qui lui fait dessiner des cartes et agrandir des vignettes de bandes dessinées destinées au journal de l'armée *Stars and Stripes*. À partir de décembre 1944, il est envoyé en Angleterre, en Belgique, en Allemagne et en France. Il visite des expositions à Londres et Paris lors des permissions et dessine beaucoup. D'octobre à décembre 1945, il est admis à la Cité universitaire de Paris et commence à prendre des cours de langue et de culture françaises. Il passe devant l'atelier de Picasso rue des Grands-Augustins, mais décide de ne pas le déranger.

In February 1943 he is called up into the U.S. army. He becomes an orderly for a Major General, who commissions him to draw maps and enlarge cartoons taken from comic strips for the army magazine *Stars and Stripes*. From December 1944, he is sent to England, Belgium, Germany and France. While on leave, he visits exhibitions in London and Paris and draws extensively. From October to December 1945 he attends the Cité Universitaire in Paris and takes up classes in French language and culture. He goes past Picasso's studio in the rue des Grands-Augustins but decides not to disturb him.

—1946-1950—

Son père meurt le 11 janvier 1946. Lichtenstein, libéré de ses obligations militaires, rentre chez lui. Il reçoit le BFA de la School of Fine and Applied Arts à l'OSU et rejoint l'école en tant que formateur. Il y crée un *flash lab* d'après celui conçu par son ancien professeur Hoyt L. Sherman, dans lequel il empile des boîtes dans une pièce sombre et demande aux étudiants d'en dessiner l'image résiduelle. Il peint des toiles semi-abstraites inspirées du cubisme. En 1948, il expose pour la première fois à la Ten-Thirty Gallery à Cleveland. En juin 1949,

Roy Lichtenstein tenant *Head of Girl* (1964) devant *Sunrise* (1965), New York – Roy Lichtenstein holding *Head of Girl* (1964) in front of *Sunrise* (1965), New York, *ca.* 1965. Photo : Ugo Mulas

il épouse Isabel Wilson, avec qui il aura deux fils, David Hoyt (né en 1954) et Mitchell Wilson (né en 1956). Durant l'été se tient sa première exposition de groupe à New York, à la Chinese Gallery. À l'automne, il obtient un master des beaux-arts et continue d'enseigner à l'OSU jusqu'en 1951.

His father dies on 11 January 1946. Discharged from his military obligations, Lichtenstein returns home. He receives a B.F.A. from the School of Fine and Applied Arts at OSU and joins the department as an instructor. He devises a flash lab similar to that of his former professor Hoyt L. Sherman, stacking boxes in a darkened room and asking his students to draw the afterimage. He paints semi-abstract compositions inspired by Cubism. In 1948, he shows his work at the Ten-Thirty Gallery in Cleveland. In June 1949, he marries Isabel Wilson, with whom he has two sons, David Hoyt (born 1954) and Mitchell Wilson (born 1956). During the summer, he holds his first group exhibition in New York, at the Chinese Gallery. That autumn he is awarded a Master's degree in Fine Arts and continues teaching at OSU until 1951.

—1951-1955—

Il déménage avec son épouse à Cleveland (Ohio). Il travaille sur le folklore américain et le Far West, traités dans un style naïf inspiré du cubisme, de Juan Miró et de Paul Klee. Ses premières expositions personnelles à New York, à la Carlebach Gallery et à la John Heller Gallery, sont couvertes par des revues spécialisées. La gravure sur bois *To Battle* [À l'attaque] (1950) est sélectionnée pour l'exposition annuelle d'estampes au Brooklyn Museum et reçoit le prix du musée. Pendant cette période, il travaille dans différents endroits, notamment comme décorateur de vitrines, dessinateur industriel ou enseignant en école privée.

He and his wife move to Cleveland (Ohio). He takes up the theme of American folklore and the Wild West, in a naïve style inspired by Cubism, Juan Miró and Paul Klee. His first solo exhibitions, at the Carlebach Gallery and the John Heller Gallery, are given coverage in the trade press. His woodcut *To Battle* (1950) is selected for the National Print Annual Exhibition at the Brooklyn Museum and receives a Purchase Award. During this period he works in a variety of jobs, including window dresser, industrial designer and private-school teacher.

—1956-1959—

En 1956, il crée sa première œuvre pré-pop, une lithographie intitulée *Ten Dollar Bill (Ten Dollars)* [Billet de dix dollars (Dix dollars)]. En 1957, il se voit proposer un poste d'assistant de professeur d'art à l'université de l'État de New York, à Oswego, pour y enseigner le design industriel. Souhaitant se rapprocher de New York, il accepte le poste et déménage maison et atelier à Oswego. Il commence à adopter un style expressionniste-abstrait et à inclure des reproductions de personnages de bande dessinée comme Mickey Mouse, Donald Duck et Bugs Bunny.

In 1956, he creates his first pre-Pop work, a lithograph entitled *Ten Dollar Bill (Ten Dollars)*. In 1957, he is offered a job as Assistant Professor of Art at the State University of New York at Oswego, to teach industrial design. He accepts the position and moves his house

Lichtenstein,
Leo Castelli Gallery, 1962,
avec, de gauche à droite
– from left to right :
Spray (1962), *The
Engagement Ring* (1961),
Masterpiece (1962),
Aloha (1962). Photo : Bill Ray

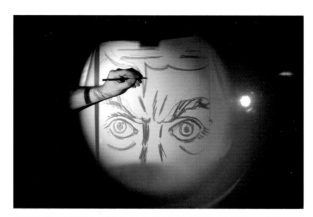

Lichtenstein réalisant sa peinture *Image Duplicator* (1963) avec l'épiscope Postoscope.
– Lichtenstein creating his painting *Image Duplicator* (1963) with the episcope
Postoscope. Photo : John Loengard

Lichtenstein travaillant à ses œuvres en céramique dans son atelier,
West 26th Street – Lichtenstein working on his ceramic pieces in his studio,
West 26th Street. Photo : Ugo Mulas

and studio to Oswego, so that he can be closer to New York. He begins to develop an Abstract-Expressionist style and to include renderings of cartoon characters such as Mickey Mouse, Donald Duck and Bugs Bunny.

—1960—

Il accepte un poste d'assistant de professeur d'art au Douglass College, à Rutgers, l'université de l'État du New Jersey, où il rencontre Allan Kaprow et Robert Watts, qui le présentent à Claes Oldenburg, Lucas Samaras, George Segal, Robert Whitman, George Brecht, Dick et Allison Higgins et George Maciunas. Il assiste à plusieurs happenings informels de Kaprow.
He takes up a position as Assistant Professor of Art at Douglass College, Rutgers, at the State University of New Jersey, where he gets to know Allan Kaprow and Robert Watts, who introduce him to Claes Oldenburg, Lucas Samaras, George Segal, Robert Whitman, George Brecht, Dick and Allison Higgins and George Maciunas. He attends a number of Kaprow's informal happenings.

—1961—

Il peint sa première œuvre pop, *Look Mickey* [Regarde, Mickey], qu'il montre à Kaprow, et poursuit avec des peintures représentant des produits de consommation agrandis et des personnages célèbres, parmi lesquels Popeye et Wimpy [Gontran en français], ainsi que des vignettes des bandes dessinées *Buck Rogers*, *Steve Roper* et *Winnie Winkle* [Bicot en français]. Il travaille également à une série de dessins en noir et blanc. Par l'intermédiaire de Kaprow, il rencontre Leo Castelli, qui accepte de le représenter. Ileana Sonnabend et Irving Blum lui proposent aussi de soutenir son travail.
He paints his first Pop work, *Look Mickey*, which he shows to Kaprow, and follows this with paintings depicting enlarged consumer goods and famous characters such as Popeye and Wimpy, as well as cartoons from comic

strips *Buck Rogers*, *Steve Roper* and *Winnie Winkle*. He also works on a series of black and white drawings. Through Kaprow, he meets Leo Castelli, who agrees to represent him. Ileana Sonnabend and Irving Blum also offer to act as his agents.

—1962—

Premiers tableaux à partir de la bande dessinée *All-American Men of War* et inspirés des œuvres de Picasso et de Cézanne. Première exposition personnelle à la Leo Castelli Gallery. Lichtenstein participe aux premières expositions collectives du pop art, parmi lesquelles « New Painting of Common Objects » et « International Exhibition of the New Realists ». Max Kozloff publie l'article « 'Pop' Culture, Metaphysical Disgust, and the New Vulgarians » dans *Art International*, dans lequel il associe Lichtenstein à Jim Dine, Oldenburg et James Rosenquist.
Produces his first paintings based on the comic *All-American Men of War* and inspired by the works of Picasso and Cézanne. First solo exhibition at the Leo Castelli Gallery. He takes part in the first collective exhibitions on Pop Art, including "New Painting of Common Objects" and "International Exhibition of the New Realists". Max Kozloff publishes an article entitled "'Pop' Culture, Metaphysical Disgust, and the New Vulgarians" in *Art International*, linking Lichtenstein to Jim Dine, Oldenburg and James Rosenquist.

—1963—

Il se sépare d'Isabel, déménage domicile et atelier à Manhattan. Il engage un assistant pour peindre les points ben-day. Il peint ses premiers tableaux représentant des femmes issues des bandes dessinées *Girls' Romances* et *Secret Hearts* publiées chez DC Comics. Il participe à l'exposition « Six Painters and the Object » au Solomon R. Guggenheim Museum de New York, qui circule ensuite dans plusieurs

musées des États-Unis. Première exposition personnelle en Europe à la Galerie Sonnabend (Paris). Il est accusé de plagiat dans la presse par William Overgard et Erle Loran.
He and Isabel separate and he moves his home and studio to Manhattan. He hires an assistant to paint the Ben-Day dots. He paints his first canvases depicting the women featured in DC Comics' *Girls' Romances* and *Secret Hearts*. He takes part in the exhibition "Six Painters and the Object" at the Solomon R. Guggenheim Museum in New York, which travels to several other American museums. First solo exhibition in Europe at the Galerie Sonnabend (Paris). He is accused of plagiarism in the press by William Overgard and Erle Loran.

—1964—

Il démissionne du Douglass College. Il commence une série de paysages dans un style *cartoon*, influencés par les arrière-plans de bande dessinée, et crée ses premiers couchers et levers de soleil, inspirés de cartes postales. Il découvre le Rowlux et l'emploie aussitôt dans ses collages. Il fabrique ses premières pièces émaillées. Il participe aux portfolios d'estampes *New York Ten* et *X + X (Ten Works by Ten Painters)*. Il crée sa première peinture murale monumentale pour la New York State Fair.
He resigns from Douglass College. He begins a series of cartoon-like landscapes, influenced by the backgrounds in comic strips, and his first sunrises and sunsets, inspired by postcards. He discovers the Rowlux and immediately applies it to his collages. He creates his first enamel pieces. He contributes to the print portfolios *New York Ten* and *X + X (Ten Works by Ten Painters)*. He creates his first monumental mural for the New York State Fair.

—1965—

Il se sépare officiellement d'Isabel (le divorce sera prononcé en 1967). Il débute sa série des *Brushstrokes* [Coups de pinceau] et commence

à expérimenter les motifs modernes dans un poster de l'Exposition universelle pour la Cartoonists Association intitulé *This Must Be the Place* [Ce doit être là]. Il crée trois sérigraphies pour les portfolios *11 Pop Artists*, vol. I, II et III. Il travaille avec Ka-Kwong Hui, céramiste et collègue de Rutgers, sur une série de têtes, de tasses et de soucoupes empilées en céramique.
He separates officially from Isabel (the divorce is finalised in 1967). He begins his series of *Brushstrokes* and starts playing with modern motifs in a World's Fair poster for the Cartoonists Association entitled *This Must Be the Place*. He produces three screenprints for volumes I, II and III of the portfolio *11 Pop Artists*. He works on a series of ceramic heads and stacked cups and saucers with Ka-Kwong Hui, a ceramist and colleague from Rutgers.

—1966—

Il emménage avec Dorothy Herzka. Il commence à créer des collages de paysages cinétiques avec du Rowlux. Il contribue au portfolio *Seven Objects in a Box* [Sept objets dans une boîte] avec un petit *Sunrise* [Lever de soleil] émaillé. Avec Helen Frankenthaler, Ellsworth Kelly et Jules Olitski, il représente les États-Unis à la 33e Biennale de Venise dans une exposition organisée par Henry Geldzahler.
He moves in with Dorothy Herzka. He begins making collages of kinetic landscapes with Rowlux. He contributes to the portfolio *Seven Objects in a Box* in the form of a small enamel *Sunrise*. He represents the United States at the 33rd Venice Biennale alongside Helen Frankenthaler, Ellsworth Kelly and Jules Olitski, in an exhibition organised by Henry Geldzahler.

—1967—

Il crée ses premières *Stretcher Frame Paintings* [Peintures de châssis] et produit son premier portfolio individuel d'estampes, *Ten Landscapes* [Dix paysages]. Première

Lichtenstein devant *Drowning Girl* (1963), pavillon des États-Unis, 33ᵉ Biennale de Venise, 1966 – Lichtenstein in front of *Drowning Girl* (1963), U.S. Pavilion, 33ʳᵈ Venice Biennale, 1966. **Photographe inconnu** – unknown photographer. Roy Lichtenstein Foundation Archives

Lichtenstein dans son atelier de – in his studio of Southampton. De gauche à droite – from left to right : *Mirror I* (1976), *Glass I* (1977), *Goldfish Bowl* (1977), *Glass II* (1976), *Landscape with Figures* (1977). Photo : Horst P. Horst

rétrospective itinérante aux États-Unis, organisée par John Coplans. Première rétrospective itinérante européenne organisée par le Stedelijk Museum, présentée à la Tate Gallery à Londres, à la Kunsthalle de Berne et à la Kestner-Gesellschaft à Hanovre.
He creates his first *Stretcher Frame Paintings* and produces his first individual prints portfolio, *Ten Landscapes*. First travelling retrospective in the United States, organised by John Coplans. First travelling retrospective in Europe, organised by the Stedelijk Museum, which tours to the Tate Gallery in London, the Kunsthalle in Berne and the Kestner-Gesellschaft in Hanover.

—1968—

Il épouse Dorothy Herzka. Premières *Modular Paintings* [Peintures modulaires] aux motifs répétitifs inspirés des années 1920-1930.
Marries Dorothy Herzka. He releases his first *Modular Paintings*, featuring repetitions of Twenties and Thirties-inspired motifs.

—1969—

Premiers tableaux de la série des *Mirrors* [Miroirs]. Premières collaborations avec Gemini G.E.L. à Los Angeles, avec le maître imprimeur Kenneth Tyler et son partenaire, Sidney B. Felsen, pour les séries des *Haystacks* [Meules de foin] et des *Cathedrals* [Cathédrales], pour *Peace Through Chemistry* [La paix grâce à la chimie], pour les reliefs en laiton et les sculptures *Modern Heads* [Têtes modernes]. Première rétrospective de tableaux et de sculptures, au Solomon R. Guggenheim Museum à New York, organisée par la conservatrice du musée, Diane Waldman.

First pictures in the *Mirrors* series. First collaborations with Gemini G.E.L. in Los Angeles, alongside master printer Kenneth Tyler and his partner, Sidney B. Felsen, on the series *Haystacks* and *Cathedrals*, on *Peace Through Chemistry*, as well as brass reliefs or sculptures *Modern Heads*. First retrospective of paintings and sculptures at the Solomon R. Guggenheim Museum in New York, organised by the museum's curator Diane Waldman.

—1970—

Il emménage à Southampton, Long Island (État de New York), où il installe son atelier et sa résidence principale. Uniques réalisations en images animées, deux films de paysages, qui sont à la base de la future installation cinématographique *Three Landscapes* [Trois paysages], sont projetés dans le pavillon des États-Unis de l'« Expo '70 » à Osaka, au Japon, puis avec un troisième dans l'exposition « Art and Technology » à Los Angeles. Paul Bianchini publie la première monographie de ses dessins et estampes, avec une introduction de Waldman.
He moves to Southampton, Long Island (New York State), where he sets up his studio and main residence. His only animated film realisation, two films of landscapes, which will form the future *Three Landscapes* film installation, are screened in the United States Pavilion of "Expo '70" in Osaka, Japan, and then with a third one at the exhibition "Art and Technology" in Los Angeles. Paul Bianchini publishes the first monograph of his drawings and prints, with an introduction by Waldman.

—1971—

Il commence la série des *Entablatures* [Entablements], en noir et blanc, et introduit des couleurs métalliques et pastel à partir de 1974.
He begins his series of *Entablatures*, in black and white. In 1974, he was to introduce metallic and pastel colours.

—1972—

Il travaille avec Gemini G.E.L. sur neuf estampes avec gaufrage de *Mirrors*. Les taureaux de Picasso deviennent un thème privilégié dans les œuvres graphiques imprimées par Gemini G.E.L. Il peint le triptyque *Cow Triptych (Cow Going Abstract)* [Triptyque vache (vache allant vers l'abstrait)] l'année suivante. La collection « Documentary Monographs in Modern Art » publie une monographie éditée par Coplans qui comprend des retranscriptions de ses entretiens passés et des articles des années 1960.
He works with Gemini G.E.L. on nine embossed *Mirrors* prints. Picasso's bulls become a favourite theme in the graphic works printed by Gemini G.E.L. The following year he paints the *Cow Triptych (Cow Going Abstract)*. The collection "Documentary Monographs in Modern Art" publishes a monograph by Coplans which includes transcripts from earlier interviews and articles dating back to the 1960s.

—1973—

Il commence les séries des *Trompe l'œils* et des *Cubist Still Lifes* [Natures mortes cubistes]. Il réalise son premier tableau de la série des *Artist's Studios* [Ateliers d'artiste]. Il crée

des tableaux montrant l'influence du mouvement De Stijl et du constructivisme russe. Il contribue au portfolio en plusieurs volumes *Hommage à Picasso* avec la sérigraphie *Still Life with Picasso* [Nature morte avec Picasso], publiée par Gemini G.E.L.
He begins work on his series of *Trompe l'œils* and *Cubist Still Lifes*. He produces his first painting in the series of *Artist's Studios*. He paints canvases showing the influence of the De Stijl movement and of Russian Constructivism. He contributes to the multi-volume portfolio *Hommage à Picasso* with his screenprint *Still Life with Picasso*, produced by Gemini G.E.L.

—1974—

Il peint ses premières œuvres influencées par le futurisme italien. Sa première sculpture monumentale, *Modern Head* [Tête moderne], est installée dans le Santa Anita Fashion Park à Arcadia, en Californie (elle sera enlevée en octobre 1988 et détruite).
He paints his first works to be influenced by Italian Futurism. His first monumental sculpture, *Modern Head*, is erected in the Santa Anita Fashion Park in Arcadia, California (in October 1988 it was removed and demolished).

—1975—

Il commence une série de tableaux inspirés des œuvres de Le Corbusier et d'Amédée Ozenfant. Première collaboration avec Tyler Workshop, à Bedford (État de New York), ouvert par Tyler qui a quitté Gemini G.E.L., pour y produire la sérigraphie *Homage to Max Ernst* [Hommage à Max Ernst], qui rejoint le portfolio *Bonjour Max Ernst* publié à Paris par Georges Visat et comprenant les œuvres de plus de vingt artistes, parmi lesquels quelques surréalistes célèbres. Le Centre national d'art contemporain (Paris) organise la première rétrospective itinérante de ses dessins, qui sera aussi présentée à Berlin et à Aachen.
He begins a series inspired by the works of Le Corbusier and Amédée Ozenfant. He collaborates for the first time with the Tyler Workshop in Bedford (New York State), launched by Tyler following his departure from Gemini G.E.L., to produce the screenprint *Homage to Max Ernst* for the portfolio *Bonjour Max Ernst*, published by Georges Visat in Paris and featuring works by over twenty artists, including a number of renowned Surrealists. The Centre national d'art contemporain (Paris) holds the first travelling retrospective of his drawings, which then tours to Berlin and Aachen.

—1976—

Il peint une série d'*Office Still Lifes* [Natures mortes de bureau] à partir d'illustrations de fournitures de bureau trouvées dans les journaux. Tyler Workshop publie une série

Lichtenstein tenant un de ses panneaux paraffinés rouges perforés à Southampton, avril 1977 – Lichtenstein holding one of his red oilboard dot screens in Southampton, April 1977. À gauche – On the left : *Frolic* (1977) ; à droite – on the right : *Nude on Beach* (1977). Photographe inconnu – unknown photographer. Roy Lichtenstein Foundation Archives

Lichtenstein gravant une matrice en bois pour la série des *Expressionist Woodcuts*, février 1980 – Lichtenstein carving a woodblock for the series *Expressionist Woodcuts*, February 1980 Photo : Sidney B. Felsen. Gemini G.E.L., Los Angeles

de onze estampes de la série des *Entablatures*. Il crée à partir d'objets du quotidien ses premières sculptures planes, en bronze peint, qui seront exposées l'année suivante à la Leo Castelli Gallery.

He paints a series entitled *Office Still Lifes*, taken from illustrations of office items found in newspapers. The Tyler Workshop publishes a series of eleven prints in the *Entablatures* series. He creates his first planar sculptures of everyday items in painted bronze, which are shown at the Leo Castelli Gallery the following year.

—1977—

Il commence une série de tableaux inspirés d'artistes surréalistes (parmi lesquels Dalí, Ernst et Miró) et des œuvres surréalistes de Picasso.

He begins a series of paintings inspired by Surrealist artists (including Dalí, Ernst and Miró) and the Surrealist works of Picasso.

—1978—

Le thème des Indiens d'Amérique du Nord réapparaît dans ses recherches. Il travaille avec Gemini G.E.L. sur des gravures d'inspiration surréaliste.

The theme of North American Indians resurfaces in his research. He works with Gemini G.E.L. on prints inspired by the Surrealists.

—1979—

Il commence une nouvelle série d'œuvres inspirées des expressionnistes allemands. Gemini G.E.L. publie sept gravures sur ce nouveau thème. Il crée ses dernières œuvres

surréalistes et continue à développer le thème des Indiens d'Amérique du Nord. Tyler Graphics Ltd. publie six estampes de motifs amérindiens. Sa première commande publique, intitulée *Mermaid*, est installée devant le Miami Beach Theater for the Performing Arts (Floride).

He begins a new series of works inspired by the German Expressionists. Gemini G.E.L. publishes seven prints on this new theme. He produces his last Surrealist works and expands on his theme of North American Indians. Tyler Graphics Ltd. publishes six prints with Native American motifs. His first public commission, entitled *Mermaid*, is erected in front of the Miami Beach Theater for the Performing Arts (Florida).

—1980—

Il combine ses *Brushstrokes* avec des coups de pinceau peints librement, agencés dans une série de dessins de pommes inspirée de Cézanne. Il crée aussi plusieurs autres toiles basées sur le concept des coups de pinceau transposés dans un style *cartoon*. Il crée des sculptures de *Brushstrokes* et d'*Apple* [Pomme] en bronze peint et patiné. Tyler Graphics Ltd. publie des estampes reprenant les motifs des sculptures *Goldfish Bowl* [Bocal aux poissons rouges], *Lamp* [Lampe] et *Picture and Pitcher* [Image et cruche].

He combines his *Brushstrokes* with loosely painted brushstrokes, to form a series of drawings of apples inspired by Cézanne. He also creates a number of canvases based on the concept of cartoon-style brushstrokes. He produces sculptures of *Brushstrokes* and *Apple* in painted and patinated bronze.

Tyler Graphics Ltd. publishes prints of the sculpture motifs used in *Goldfish Bowl*, *Lamp* and *Picture and Pitcher*.

—1981—

Il commence sa série des *Women* [Femmes] avec quatre peintures de femme inspirées de la troisième série des *Women* entreprise par Willem de Kooning à la fin des années 1950. Une exposition de peintures et de sculptures de la période 1970-1980 organisée par Jack Cowart est présentée au Saint Louis Art Museum. L'exposition se déplace dans des musées des États-Unis, d'Europe et du Japon. Elle ouvre ses portes à Paris en 1982, au Musée des arts décoratifs, pour le Festival d'automne, dont Lichtenstein crée également l'affiche à cette occasion. L'annexe du Whitney Museum à Wall Street expose l'œuvre graphique de la période 1971-1981.

He begins work on his *Women* series of four paintings inspired by Willem de Kooning's third series of *Women*, dating back to the late 1950s. An exhibition of painting and sculpture from the 1970-1980 period, organised by Jack Cowart, is held at the Saint Louis Art Museum. The exhibition tours to museums in the United States, Europe and Japan. It is shown in Paris in 1982 to coincide with the Autumn Festival at the Musée des Arts Décoratifs, for which Lichtenstein also designed the poster. The Dowtown Branch of the Whitney Museum on Wall Street displays his graphic work from the period 1971-1981.

—1982—

Il installe un autre atelier au 105 East 29th Street, entre Lexington et Park Avenue à New York. Il commence les séries des *Paintings* [Peintures] et des *Two Paintings* [Deux peintures], qui incorporent un motif de cadre.

He sets up an other studio at 105 East 29th Street, between Lexington and Park Avenue in New York. He begins the series of *Paintings* and *Two Paintings*, incorporating a frame motif.

—1983—

L'imagerie des bandes dessinées réapparaît dans ses tableaux, surtout à travers le personnage de Dagwood Bumstead, de la bande dessinée *Blondie* de Chic Young. Gemini G.E.L. publie une série d'estampes de la série des *Paintings*. Du 3 au 11 décembre, il exécute en projetant un collage sur le mur de la Greene Street Gallery de Castelli une peinture murale de vingt-sept mètres de longueur. Elle reste visible jusqu'en janvier 1984, date à laquelle elle est recouverte. Première exposition personnelle d'œuvres récentes à la Galerie Daniel Templon à Paris. Abbeville Press publie une monographie rédigée par Lawrence Alloway qui contient des notes sur son processus de travail.

The imagery of comic strips crops up again in his paintings, particularly in the form of Dagwood Bumstead, from Chic Young's comic strip *Blondie*. Gemini G.E.L. publishes a series of prints of the series *Paintings*. From 3 to 11 December he paints a twenty-seven-meter-long mural by projecting a collage on the wall of Castelli's Greene Street Gallery which remains there until January 1984 but is then

Lichtenstein dans son atelier, 105 East 29th Street, New York, 1986. Au premier plan, motifs de coups de pinceau et de points ben-day sur papier pour la réalisation des collages préparatoires – *Lichtenstein in his studio, 105 East 29th Street, New York, 1986. In the foreground, motifs of brustrokes and Ben-Day dots on paper used for preparatory collages. De gauche à droite, à l'arrière-plan – From left to right in the background :* Head (en cours – in progress, 1986), Portrait (en cours – in progress, 1986), Face in Forest (1986), Blonde (1986)
Photo : Thomas Hoepker

Lichtenstein travaillant à son *Greene Street Mural*, décembre 1983-janvier 1984 – *Lichtenstein working on the* Greene Street Mural, *December 1983-January 1984*
Photographe inconnu – *unknown photographer*

covered. First solo exhibition of recent works at the Galerie Daniel Templon in Paris. Abbeville Press publishes a monograph written by Lawrence Alloway, which includes notes on his working process.

—1984—

Il vit en partie à New York, et peint des marines et des paysages forestiers en combinant sur toile des touches structurées et d'autres plus lâches.
He starts spending time living and working in New York. He paints seascapes and forest landscapes in a blend of structured and more loosely executed strokes.

—1986—

Il travaille sur les *Imperfect Paintings* [Peintures imparfaites], série de peintures géométriques abstraites basées sur le tracé d'une ligne droite rebondissant d'un bord à l'autre du tableau, en sortant parfois du cadre rectangulaire de la toile. La peinture murale *Mural with Blue Brushstroke* [Peinture murale avec coup de pinceau bleu], conçue pour le hall de l'Equitable Tower (aujourd'hui AXA Equitable Center) au centre de Manhattan, est achevée en janvier. *Salute to Painting* [Hommage à la peinture], sculpture en aluminium se dressant à près de huit mètres de hauteur, est inaugurée au Walker Art Center en février. Première collaboration avec Donald Saff, fondateur de Graphicstudio, situé à l'université de Floride du Sud à Tampa, pour éditer deux versions de sa sculpture-chaise *Brushstroke Chair and Ottoman* [Chaise et ottomane en coup de pinceau]. Tyler Graphics Ltd., alors basé à Mount Kisco dans l'État de New York, publie une série de sculptures murales en bois de cerisier peint figurant des coups de pinceau.
He creates *Imperfect Paintings*, a series of abstract geometric paintings in which a straight line bounces from one edge of the painting to the other, sometimes even spilling out of the rectangular framework of the

canvas. *Mural with Blue Brushstroke*, designed for the lobby of the Equitable Tower (now the AXA Equitable Center) in downtown Manhattan, is completed in January. *Salute to Painting*, an aluminium sculpture rising to almost eight meters, is inaugurated at the Walker Art Center in February. He collaborates for the first time with Donald Saff, the founder of Graphicstudio, located at the University of South Florida in Tampa, to produce two versions of his chair-sculpture *Brushstroke Chair and Ottoman*. Tyler Graphics Ltd., based at the time in Mount Kisco, New York State, publishes a series of hand-painted wall relief sculptures of brushstrokes in cherry wood.

—1987—

Le MoMA (New York) monte une rétrospective majeure de ses dessins, organisée par Bernice Rose, première exposition de dessins d'un artiste vivant jamais présentée par le musée. L'exposition voyage dans différents musées des États-Unis et d'Europe.
MoMA (New York) shows a major retrospective of his drawings, the museum's first-ever exhibition of drawings by a living artist, organised by Bernice Rose. The exhibition tours to several other American and European museums.

—1988—

Il installe son atelier et sa résidence dans une ancienne fabrique d'acier, au 745 Washington Street, à New York. Il partage son temps entre Southampton et Manhattan. Il commence sa série des *Reflections* [Reflets] et la série *Plus and Minus* inspirée d'œuvres de Mondrian. Gemini G.E.L. publie une série d'estampes de la série des *Imperfect Paintings*. Il travaille avec Tallix sur des sculptures de têtes en bronze patiné aux motifs archaïsants, surréalistes ou inspirés des œuvres de Brancusi. En avril, Tallix achève le travail sur *Coups de pinceau*, installé rue de Lille à la Caisse des dépôts et consignations de Paris. L'œuvre sera déplacée

en 2011 dans un nouveau bâtiment, quai François-Mauriac. *Brushstroke Group*, sculpture en aluminium peint de neuf mètres de hauteur, est installée à Central Park sur la Doris C. Freedman Plaza à Manhattan. Première monographie en allemand dédiée à ses œuvres pré-pop, écrite par Ernst A. Busche.
He sets up his home and studio in a former steelworks at 745 Washington Street, New York. He divides his time between Southampton and Manhattan. He starts work on his series *Reflections* and *Plus and Minus*, inspired by Mondrian. Gemini G.E.L. publishes a number of prints from the series *Imperfect Paintings*. He produces his patinated bronze heads with Tallix, featuring archaic and Surrealist motifs and inspired by the sculptures of Brancusi. In April, Tallix completes *Coups de Pinceau*, which is erected at the Caisse des Dépôts et Consignations in the rue de Lille in Paris. In 2011 the work moved to new premises on the quai François Mauriac. *Brushstroke Group*, a nine-meter-high painted aluminium sculpture, is erected in Central Park on the Doris C. Freedman Plaza. Publication of his first monograph in German, by Ernst A. Busche, devoted to his pre-Pop works.

—1989—

Il est artiste résident à l'Académie américaine de Rome. Il voit sur l'autoroute un panneau publicitaire pour des meubles, ce qui le pousse à regarder dans les Pages jaunes de Rome pour trouver des images similaires. Il crée ensuite un premier dessin d'un intérieur au crayon de couleur. Il réalise son premier *Mobile* en bronze peint et patiné fabriqué par Tallix. Il se rend à Tel-Aviv avec ses assistants pour travailler sur une grande peinture murale pour le hall d'entrée du Musée d'art de Tel-Aviv. Il commence à travailler sur *Bauhaus Stairway. The Large Version* [L'escalier du Bauhaus. Grande version], une peinture murale pour le bâtiment conçu par I. M. Pei

pour la Creative Artists Agency à Beverly Hills. La Metropolitan Transportation Authority (MTA) de l'État de New York lui demande de créer le *Times Square Mural* pour la station de métro de la 42nd Street et de Times Square. Les panneaux seront installés à titre posthume en 2002.
He joins the American Academy in Rome as artist-in-residence. He spots a hoarding on the motorway advertising furniture, which inspires him to find similar images in Rome's Yellow Pages. He produces an initial drawing of an interior in coloured pencil. He makes his first *Mobile*, cast by Tallix in painted, patinated bronze. He visits Tel Aviv with his assistants to begin work on a large mural for the lobby of the Tel Aviv Museum of Art. He begins work on *The Bauhaus Stairway. The Large Version*, a mural painting for a building designed by I. M. Pei for the Creative Artists Agency in Beverly Hills. The New York Metropolitan Transportation Authority (MTA) in New York State commissions the *Times Square Mural* for the subway station on 42nd Street and Times Square. The panels were installed posthumously in 2002.

—1990—

Il commence la série des *Interiors* [Intérieurs], incluant de la peinture à l'éponge. Dans certaines toiles apparaissent aux murs des peintures dont l'artiste avait eu l'idée, mais qu'il n'avait jamais réalisées. Gemini G.E.L. publie une série d'estampes de cette série. Tyler Graphics Ltd. publie neuf estampes de *Reflections*. Il retravaille avec Saff, dans son nouvel atelier Saff Tech à Oxford, dans le Maryland, d'abord sur le bas-relief *Suspended Mobile* [Mobile suspendu], puis sur les gravures de *Water Lilies* [Nénuphars] inspirées des derniers *Nymphéas* de Monet. Certaines de ses bandes dessinées sources sont retrouvées et exposées pour la première fois au MoMA (New York) dans l'exposition « High and Low. Modern Art and Popular Culture ».

Lichtenstein dessinant un coup de pinceau sur une plaque lithographique, Graphicstudio, mars 1987 – Lichtenstein drawing a brushstroke on a lithographic plate. Graphicstudio, March 1987. **Courtesy Graphicstudio/USF.** Photo : George Holzer

He begins work on the series of *Interiors*, which includes sponge painting. Some of these canvases feature paintings on the walls that the artist had envisaged but never actually created. Gemini G.E.L. publishes a series of prints from this series. Tyler Graphics Ltd. publishes nine prints from *Reflections*. He works with Saff once again in the latter's new workshop Saff Tech in Oxford, Maryland, first on the bas-relief *Suspended Mobile* and then on the *Water Lilies* prints, inspired by Monet's last *Nymphéas* [water-lilies]. Some of his comic source material is identified and shown for the first time, at MoMA (New York), in the exhibition "High and Low. Modern Art and Popular Culture."

—*1992*—

Inspiré par l'œuvre de l'artiste catalan Antoni Gaudí, il crée *Barcelona Head*, une sculpture de vingt mètres de hauteur en carreaux de céramique colorés, commandée pour les Jeux olympiques d'été à Barcelone. Ses œuvres antérieures aux années 1960, dont plusieurs dessins semi-abstraits de personnages de bandes dessinées de 1958, sont montrées dans l'exposition « Hand-Painted Pop. American Art in Transition, 1955-62 » au Museum of Contemporary Art de Los Angeles.

Inspired by the work of Catalan artist Antoni Gaudí, Lichtenstein creates *Barcelona Head*, a twenty-meter-high sculpture in coloured ceramic tiles commissioned for the Summer Olympics in Barcelona. His pre-1960s works, including a number of semi-abstract drawings of 1958 comic strip characters, are shown in the exhibition "Hand-Painted Pop. American Art in Transition, 1955-62" at the Museum of Contemporary Art in Los Angeles.

—*1993*—

Il commence une série de nus féminins. Il crée *Large Interior with Three Reflections* [Grand intérieur aux trois reflets], une peinture monumentale constituée d'un triptyque de neuf mètres de longueur et de trois panneaux additionnels, pour Revlon Corporation, à New York. Avec Saff Tech, il commence à travailler sur une *Metallic Brushstroke Head* [Tête métallique en coup de pinceau] en bronze nickelé et peint. Il termine *Brushstroke Nude* [Nu en coup de pinceau], une sculpture en aluminium peint de plus de trois mètres cinquante fabriquée par Tallix. Le Guggenheim de New York présente « Roy Lichtenstein », une rétrospective de ses peintures et sculptures. L'exposition se déplace aux États-Unis, au Canada et en Europe.

He begins a series of female nudes. He creates *Large Interior with Three Reflections*, a mural comprising a nine-meter-wide triptych and three additional panels for the Revlon Corporation in New York. With Saff Tech, he begins work on a *Metallic Brushstroke Head* in painted nickel plated bronze. He completes *Brushstroke Nude*, a painted aluminium three and a half meter-high sculpture cast by Tallix. The Guggenheim in New York presents "Roy Lichtenstein", a retrospective of his paintings and sculptures. The exhibition tours around the United States, Canada and Europe.

—*1994*—

Tyler Graphics Ltd. publie une série d'estampes sur le thème des nus. Saff Tech fabrique le relief *Woman Contemplating a Yellow Cup* [Femme regardant une tasse jaune] et une *Imperfect Sculpture*. Publication du catalogue raisonné de ses estampes par Mary Lee Corlett, en parallèle de la rétrospective des estampes à la National Gallery of Art de Washington. L'exposition voyage ensuite au Los Angeles County Museum of Art (LACMA) et au Dallas Museum of Art.

Tyler Graphics Ltd. publishes a series of prints on the nude. Saff Tech manufactures the relief *Woman Contemplating a Yellow Cup* and an *Imperfect Sculpture*. Publication of the catalogue raisonné of his prints by Mary Lee Corlett, which coincides with the retrospective of his prints at the National Gallery of Art in Washington. The exhibition goes on to Los Angeles County Museum of Art (LACMA) and the Dallas Museum of Art.

—*1995*—

Il commence la grande série des *Landscapes in the Chinese Style* [Paysages dans le style chinois]. Il continue sa série des *Interiors*, décrivant certaines de ces toiles aux lignes de contour discontinues et colorées comme des peintures virtuelles. Il travaille avec Gemini G.E.L. sur des estampes représentant diverses images dont des stores vénitiens, des portées musicales et des paysages chinois. Saff Tech imprime *Brushstroke Still Life with Lamp* [Nature morte à la lampe en coup de pinceau], sérigraphie sur panneau d'aluminium en nid d'abeilles. Les moines de l'ordre des Capucins font appel à lui pour concevoir et réaliser les peintures murales de la chapelle de l'Eucharistie dans le couvent Padre Pio situé à San Giovanni Rotondo dans les Pouilles, conçue par Renzo Piano. Il travaille en 1996 sur plusieurs croquis inspirés par *La Cène* de Léonard de Vinci, mais ils ne seront jamais réalisés en peinture.

He begins his major series of *Landscapes in the Chinese Style*. He continues his series of *Interiors*, which feature broken coloured outlines, describing some of them as virtual paintings. With Gemini G.E.L., he works on prints depicting a variety of images, including Venetian blinds, musical scales and Chinese landscapes. Saff Tech produces *Brushstroke Still Life with Lamp*, screenprint on honeycomb core aluminium panel. The Capuchin order of monks asks him to design and execute murals for the Eucharist Chapel in the Padre Pio Pilgrimage in San Giovanni Rotondo, Apulia, designed by Renzo Piano. The following year he makes a number of preparatory sketches inspired by Leonardo da Vinci's *Last Supper* but these are never created.

—*1996*—

Il crée un collage et deux dessins intitulés *Mickasso*, jouant avec le personnage de Disney, Mickey Mouse, et le style cubiste de Picasso. Il travaille sur des maquettes de sculptures de pyramides et plusieurs de maisons basées sur des angles inversés pour créer l'illusion de la tridimensionnalité. Il fait don de 154 de ses gravures à la National Gallery of Art de Washington (plus grande collection au monde).

He creates a collage and two drawings entitled *Mickasso*, a play on Disney's Mickey Mouse character and the Cubist style of Picasso. He works on maquettes of pyramid sculptures, as well as houses relying on inverted angles to create a three-dimensional illusion. He donates 154 prints to the National Gallery of Art in Washington (the largest collection in the world).

—*1997*—

Il réalise plus d'une centaine de dessins et de collages préparatoires et de nombreux tableaux d'*Interiors* de style virtuel montrant des tables et des chaises combinées à des silhouettes de femmes, des natures mortes et autres références classiques. *Singapore Brushstroke*, monumental ensemble composé de six grandes sculptures, est installé à la Pontiac Marina de Singapour. Ouverture de la 47ᵉ Biennale de Venise. *House II* [Maison II], pièce en fibre de verre figurant l'extérieur d'une maison, est présentée dans l'exposition « Future, Present, Past », organisée dans le Pavillon italien par le commissaire d'exposition de la biennale, Germano Celant. Le 29 septembre, souffrant d'une pneumonie, Lichtenstein décède subitement au New York University Medical Center, à Manhattan.

He produces over one hundred preparatory drawings and collages and a large number of *Interiors* in a virtual style blending tables and chairs with silhouettes of women, still lifes and other classical references. *Singapore Brushstroke*, a monumental sculpture comprising six elements, is erected on the Pontiac Marina in Singapore. The 47th Venice Biennale opens. The exhibition "Future, Present, Past" in the Italian Pavilion, organised by the Biennale's exhibition curator Germano Celant, features *House II*, a fibreglass piece depicting the outside of a house. On 29th September Lichtenstein dies suddenly from pneumonia at the New York University Medical Center in Manhattan.

Adaptée de la chronologie de Clare Bell dans le catalogue de la présente exposition **Adapted from the Clare Bell's chronology in the catalogue of the exhibition** **© Clare Bell Roy Lichtenstein Foundation**

CENTRE NATIONAL D'ART ET DE CULTURE GEORGES POMPIDOU

Le Centre national d'art et de culture Georges Pompidou est un établissement public national placé sous la tutelle du ministère chargé de la culture (loi n° 75-1 du 3 janvier 1975).

Président – President
ALAIN SEBAN

Directrice générale – Managing Director
AGNÈS SAAL

Directeur du – Director of
Musée national d'art moderne – Centre de création industrielle
ALFRED PACQUEMENT

Directeur du – Director of
Département du développement culturel
BERNARD BLISTÈNE

Président de l' – President of the
Association pour le développement du Centre Pompidou
JACK LANG

Président de la – President of the
Société des Amis du Musée national d'art moderne
JACQUES BOISSONNAS

EXPOSITION – EXHIBITION

Commissaire – Curator
CAMILLE MORINEAU

Chargée de recherches et de coordination
– Exhibition coordinator and Curatorial assistant
HANNA ALKEMA

Chargé de production – Production
HERVÉ DEROUAULT

Architecte-scénographe – Architect and Scenographer
LAURENCE FONTAINE

ALBUM – ALBUM

Album réalisé à l'occasion de l'exposition
« Roy Lichtenstein » présentée au Centre Pompidou, Paris, Galerie 2, du 3 juillet au 4 novembre 2013
– Album published to coincide with the exhibition "Roy Lichtenstein" held at the Centre Pompidou, Paris, Galerie 2, 3rd July–4th November 2013

Direction d'ouvrage et textes – Editor and Texts
HANNA ALKEMA

Coordination – Coordination
JEANNE ALECHINSKY

Relecture – Copy Editor
GENEVIÈVE MUNIER

Conception graphique – Graphic Design
LAURE CÉRINI

Fabrication – Production
AUDREY CHENU

Traduction du français – Translation from French
CAROLINE TAYLOR-BOUCHÉ

DIRECTION DES ÉDITIONS
– PUBLICATIONS DEPARTMENT

Directeur – Director
NICOLAS ROCHE

Directeur adjoint, chef du service éditorial
– Deputy Director, Head of the Editorial Unit
JEAN-CHRISTOPHE CLAUDE

Responsable du pôle éditorial – Editorial Unit
FRANÇOISE MARQUET

Chef du service commercial – Director of the Sales Unit
MARIE-SANDRINE CADUDAL

Responsable du pôle ventes et stock
– Sales Administration
JOSIANE PEPERTY

En couverture – Cover :

WHAAM !
1963
Huile et Magna sur toile
Oil and Magna on canvas
Deux panneaux – Two panels
172,7 × 203,2 cm chacun – each
Tate
Achat, 1966 – Purchased 1966

© Éditions du Centre Pompidou, Paris, 2013
ISBN : 978-2-84426-601-9
N° éditeur : 1519
Dépôt légal : mai 2013
Retrouvez toutes les nouveautés, livres, produits dérivés, multimédia, sur boutique.centrepompidou.fr

Achevé d'imprimer sur les presses d'Arti Grafiche, Amilcare Pizzi s.p.a., Milan, en mai 2013.
Imprimé en Italie

SOURCES DES CITATIONS

p. 5 : Roy Lichtenstein cité par Calvin Tomkins, « Brushstrokes », dans C. Tomkins et Bob Adelman, *Roy Lichtenstein. Mural with Blue Brushstroke*, New York, Harry N. Abrams, 1988, p. 20-21. – **p. 6 :** R. Lichtenstein à John Coplans, « An Interview with Roy Lichtenstein », *Artforum*, vol. 2, n° 4, octobre 1963, p. 31. – **p. 8 :** R. Lichtenstein à Alan Solomon, « Conversation with Lichtenstein », dans Alberto Boatto et Giordano Falzoni (éds), *Lichtenstein, Fantazaria*, Rome, vol. 1, n° 2, juillet-août 1966, p. 38. – **p. 10 :** R. Lichtenstein à Ruth Fine, « Dots, Stripes, Strokes, and Foils. Roy Lichtenstein's High-Tech Classicism », dans Mary Lee Corlett, *The Prints of Roy Lichtenstein. A Catalogue Raisonné, 1948-1993*, New York, Hudson Hills Press / Washington, D.C., National Gallery of Art, 1994, p. 23. – **p. 12 :** R. Lichtenstein à J. Coplans, 1963, *op. cit.*, p. 31. – **p. 14 :** R. Lichtenstein à J. Coplans, « Roy Lichtenstein. An Interview », *Lichtenstein*, cat. expo., Pasadena (Calif.), Pasadena Art Museum, 1967, p. 15. – **p. 17 :** *Ibid.*, p. 12. – **p. 18-19 :** *Ibid.*, p. 15. – **p. 20 :** R. Lichtenstein, « A Review of My Work Since 1961. A Slide Presentation » (1995) ; repris dans Graham Bader (éd.), *Roy Lichtenstein, October Files*, n° 7, Cambridge (Mass.), MIT Press, 2009, p. 61. – **p. 23 :** R. Lichtenstein à J. Coplans, 1967, *op. cit.*, p. 15 et 16. – **p. 24 :** R. Lichtenstein à Diane Waldman, *Roy Lichtenstein*, Paris, Éditions du Chêne, 1971, p. 27. – **p. 28 :** R. Lichtenstein à Raphaël Sorin, « Le classicisme du hot dog », *La Quinzaine littéraire*, n° 42, 1er janvier 1968, p. 16-17. – **p. 35 :** R. Lichtenstein à Charles Riley, « Entretien avec Roy Lichtenstein dans son atelier de Manhattan, juin 1992 », dans Chantal Michetti-Prod'Hom (éd.), *Roy Lichtenstein*, cat. expo., Pully-Lausanne, FAE Musée d'art contemporain, 1992, p. 25, 27. – **p. 42 :** R. Lichtenstein, « A Review of My Work Since 1961. A Slide Presentation », *op. cit.*, p. 62-63. – **p. 45 :** *Ibid.*, p. 69. – **p. 48 :** R. Lichtenstein à Michael Kimmelman, *Portraits. Talking with Artists at the Met, the Modern, the Louvre and Elsewhere*, New York, Random House, 1998, p. 89. – **p. 50 :** R. Lichtenstein à Barbara Stern Shapiro, *Roy Lichtenstein. Landscapes in the Chinese Style*, cat. expo, Hong-Kong, Hong Kong Museum of Art, 1998, p. 9.

Avec le soutien de